# Екатерина Вильмонт

Екатерина
# Вильмонт

## Перевозбуждение примитивной личности

Астрель
Москва
2004

УДК 821.161.1-31
ББК 84(2Рос=Рус)6-44
В46

Серийное оформление
*Пашковой Н. В.*
Компьютерный дизайн
*Коляда Е. А.*

Подписано в печать 24.11.2003 г. Формат 84×108[1]/[32].
Гарнитура «Гарамонд». Усл. печ. л. 15,96.
Тираж 30000 экз. Заказ № 2681.
Общероссийский классификатор продукции ОК-005-93,
том 2; 953000 — книги, брошюры
Санитарно-эпидемиологическое заключение
№ 77.99.02.953.Д.008286.12.02 от 09.12.02 г.

**Вильмонт Е. Н.**

В46 Перевозбуждение примитивной личности: Роман / Е. Н. Вильмонт. – М.: ООО «Агентство «КРПА Олимп»: ООО «Издательство АСТ»: ООО «Издательство Астрель», 2004. – 296, [8] с.

ISBN 5-17-022421-4 (ООО «Издательство АСТ»)
ISBN 5-271-08090-0 (ООО «Издательство Астрель»)
ISBN 5-7390-1342-9 (ООО «Агентство «КРПА Олимп»)

Выбирать между любовью и одиночеством просто. Но когда любовь сваливается на тебя как снег на голову да еще число претендентов на твои руку и сердце растет с каждым днем – как тут быть? На ком остановить выбор?

Главное – не унывать! И не бояться сделать шаг навстречу мечте. Ведь счастье рядом, нужно только не пройти мимо него...

**УДК 821.161.1-31**
**ББК 84(2Рос=Рус)6-44**

**ISBN 5-17-022421-4 (ООО «Издательство АСТ»)**
**ISBN 5-271-08090-0 (ООО «Издательство Астрель»)**
**ISBN 5-7390-1342-9 (ООО «Агентство «КРПА Олимп»)**

Эту историю мне рассказала Дина, племянница моей старой подруги. Дину я помнила совсем девочкой, потом очаровательной девушкой, а теперь передо мной сидела элегантная, уверенная в себе иностранка, преподаватель Маастрихтского университета, вдова сорока двух лет, впрочем, на вид больше тридцати пяти ей не дашь. Но это не история ее становления, это история любви, которая, похоже, перевернет скоро всю ее жизнь. Впрочем, кто знает... Я изменила здесь только имена и фамилии.

## Глава первая
## В МОСКВУ, В МОСКВУ

Вот уж воистину, от сумы и от тюрьмы не зарекайся! И если проблема сумы сейчас передо мной в силу многих обстоятельств не стоит, то в тюрьму я все-таки угодила, хоть и в голландскую! И всего лишь на три дня, смешно, правда? А дело было так: выхожу я в Маастрихте из супермаркета и вижу: какой-то молодчик арабского типа вскрывает багажник моей машины. А надо вам сказать, что в Голландии обычно полицейских не видно, но когда нужно, они тут как тут. Но не в моем случае! Тогда я выхватила из пакета литровую бутылку кока-колы, подбежала к нему сзади и шарахнула по башке! А что еще мне оставалось? Он упал и вроде даже потерял сознание. Вот тут сразу появились двое в полицейской форме и арестовали меня. Но я не испугалась, я ведь в Европе, разберутся... Вот если б я в Америке негра так шарахнула, меня с их гребаной политкорректностью могли запросто черт-те в чем обвинить, а тут... Я позвонила своему адвокату, но три дня все-таки пришлось отсидеть. Хорошо отдохнула, между прочим. Меня только беспокоили мои звери — собака Тузик, чистокровная дворняга, и два кота, Кукс и Мойша. Но старый друг Додик согласился эти три дня пожить в моем доме и присмотреть за зверинцем. В последнюю тюремную ночь мне приснился сон — я, совсем молоденькая, играю в волейбол на пляже в Красной Пахре, где у отца была дача. Мне жарко, я вхожу в речку и плыву по течению, и мне так хорошо, прохладно, а солнышко светит, берега пустынные, и вдруг я вижу полянку, всю в ромашках, такие в природе редко встречаются, все больше на рекламных снимках в глянцевых журналах... Я вылезаю на берег и вдруг осознаю, что мне от силы лет семь-восемь, а в волейбол я играла восемнадцатилетней... Значит, если бы я не вылезла на берег, то могла бы доплыть по этой речке до небытия? Но тут я проснулась. Странно, мне редко снятся сны, а уж снов о прошлом я практически никогда не вижу. К чему бы это, думаю?

Утром я вышла «на свободу с чистой совестью». Встречал меня Додик.

— Ну ты даешь! — он обнял меня. — Как тебе голландское узилище?

— Класс! Но все-таки больше всего на свете хочется принять душ! Как там мои звери?

— Нормально! Кукс только очень скучает.

— Он обиделся, не будет неделю со мной общаться, я его знаю!

— Слушай, Динка, а кто такая Тося Бах?

— Кто? — ахнула я.

— Звонила какая-то Тося Бах. Из Москвы.

— Господи, невероятно! Это моя одноклассница... Но как она узнала мой телефон?

— Вероятно, у твоего отца?

— Исключено. Отец не знает ни адреса, ни телефона. Мы последний раз общались лет десять назад, и я тогда еще жила в Амстердаме. А что она хотела?

— Понятия не имею, спросила только, я муж или не муж. Еще спросила, где ты?

— И ты, конечно, не отказал себе в удовольствии сообщить, что я в тюрьме? — засмеялась я.

— Как ты хорошо меня знаешь! Разумеется, я сказал чистую правду!

— А она что?

— Сперва глухо замолчала, потом решила, что я шучу, а потом я сжалился над ней и заодно над твоей репутацией в родном городе и все объяснил. Так что она сегодня будет звонить, если, конечно, не слишком испугалась.

— Интересно, что ей понадобилось? Я о Тосе Бах больше двадцати лет не слышала.

— Ну, наверное, собралась зачем-то в Голландию или в Бельгию, вот и разыскала тебя.

— Но через кого?

— Ну, в принципе, можно через адресный стол найти человека.

— Но она не знает моей новой фамилии...

– Ерунда, Динка, найти человека не так уж сложно. Какая-нибудь наша Арахна[1] где-то тебя упомянула, кто-то тебя вспомнил...

– Да, вероятно...

Между тем мы приехали в маленький бельгийский город Маасмехелен, где я после смерти мужа жила со своим зверьем. Тузик с громким лаем кинулся ко мне, Мойша стал радостно тереться о мои ноги и громко мурлыкать, а Кукс смерил меня сумрачным взглядом и величественно удалился. Обиделся, как я и предполагала. Он же не знает, что я не развлекалась на стороне, а сидела в тюрьме и потому нуждаюсь в сочувствии.

– Додик, заходи, кофе дам.

– Нет, благодарю, у меня и так проблемы в личной жизни из-за твоего хулиганства! Я только заберу лэп-топ и пижаму. А вот вечером давай где-нибудь поужинаем!

– А личная жизнь?

– К вечеру я с ней уже на сегодня покончу! Созвонимся?

– Конечно!

Как все-таки хорошо до́ма! Однако наслаждаться домашним уютом мне мешала мысль о звонке Тоси

[1] В греческой мифологии лидийская девушка, превращенная Афиной в паука.

Бах. Это был звонок из прошлого, далекого и, казалось, прочно забытого. Я вроде бы хорошо усвоила науку забвения. Жизнь сложилась так, что каждые несколько лет приходилось говорить себе — забудь. С каждым разом мне это давалось все легче, а Тося Бах была из того, самого долгого, периода, забыть который было труднее всего, ведь там осталось всё — родители, детство, юность, школа, первые влюбленности, первая взрослая любовь, родина, наконец... Но я справилась, по крайней мере, мне так казалось, пока эти семь букв — Тося Бах — не взбаламутили душу...

Тося Бах была моей школьной подругой, мы с первого класса сидели за одной партой, правда, часто ссорились, уж очень разные характеры. Но все-таки общего было больше. Ее отец был крупным ученым, мать тоже, у них была большая, типично профессорская квартира с массой книг, не слишком ухоженная, там всегда слегка пахло пылью, но мне у них нравилось. Их домработница Маруся делала фантастические блинчики с мясом. Тоська была младшей дочерью в семье, и ее родители были лет на десять старше моих. У нас тоже была большая квартира с массой книг и домработница, правда, она занималась только уборкой и стиркой, готовить бабушка ей не доверяла. У Бахов домработница жила много лет, а у нас они менялись очень часто. И вообще, их дом представлялся мне какой-то твердыней, а наш — шатким и валким. Что впоследствии и подтвердилось... Интересно, Тоськины родители еще живы? Неужели она хочет приехать и потому разыскала меня? А я хочу ее видеть? Не знаю... Наверное, скорее хочу, но лучше бы этого не было... Вон как от одного только упоминания ее имени все разбередилось... И боль от потери мамы, и обида на отца и бабку, и вообще... Но тут зазвонил телефон.

— Алло!

— Динка, привет, это Тося Бах. Помнишь меня? — каким-то странно-деревянным голосом спросила старая подруга.

— Разве такое забывается, Тоська? — вдруг жутко обрадовалась я. Она, видно, это почувствовала, и голос зазвучал совсем по-другому.

— Тебе передали, что я звонила?

— Конечно!

— Слушай, ты правда в тюрьме сидела?

— Истинная правда, но не волнуйся, это фигня!

— Ой, Динка, я вот услыхала твой голос, так захотелось повидаться... Да, я чего звоню-то! Ты помнишь, что в этом году четверть века, как мы окончили школу?

— Нет, не помню... Четверть века? Какой кошмар!

— Не говори, но суть не в том. Мы решили собраться всем классом! И приглашаем тебя!

— Куда приглашаете?

— Как куда? В Москву, конечно, в нашу школу! Знаешь, я сколько народу обзвонила, сначала все в шоке, а потом так радуются, придем, говорят. Даже

Оська Левин из Сан-Франциско обещал прилететь... Помнишь Оську?

– Еще бы!

– Ну ты приедешь? Сможешь?

– А когда? – вдруг охрипла я.

– Керосинка сказала, что можно в первых числах июня.

– Керосинка? Она еще жива?

– Жива-жива! Она теперь директор школы!

– С ума сойти! Тоська, а ты как живешь?

– Нормально, Динка, но это долгая история, вот приедешь, поговорим! Так ты приедешь?

– В первых числах июня? Не знаю... Надо посмотреть расписание... у меня же лекции... Не знаю...

– Динка, ну, пожалуйста, приезжай! Если нужно, мы какую хочешь бумагу вышлем, хоть от президента! Наш Ванька Дрожжин работает в администрации президента! Так что, сама понимаешь. Запиши мои телефоны, домашний и мобильный! Звони в любое время, хоть в три ночи! Если будут проблемы с билетами на самолет, поможем! А можно вообще так сделать – Борька Мухин живет в Ганновере, он собирается ехать на машине, может, вы скооперируетесь, хочешь, дам тебе его телефон?

– Нет, нет, не нужно. Я подумаю, Тося. Ты только скажи, родители живы?

– Живы, слава богу! И Маруся при них!

– С ума сойти! Ой, Тоська... Кажется, я все-таки приеду!

— Умница, Динка, я в тебе не сомневалась, хоть ты и сволочь хорошая, пропала на столько лет! Подруга называется!

— Тоська, а как ты меня нашла?

— Долго рассказывать! Много интересного о тебе на этом пути узнала, но имей в виду — ни одному слову не поверила!

— Все понятно, занималась арахнологией!

— Точно! Они там как пауки в банке, очень точно сказала. Ой, Динка, а мы по-прежнему понимаем друг друга с полуслова... Динка, ты только скажи, тебе есть где остановиться в Москве? Я так поняла, ты с отцом отношений не поддерживаешь?

— Нет, но это неважно, я остановлюсь в гостинице, сейчас это, говорят, уже не проблема?

— Нет, ты только скажи, какую гостиницу тебе заказать?

— Нет, нет, я сама... Посмотрю по Интернету, созвонюсь...

— Слушай, а может, не надо в гостиницу, приезжай прямо ко мне, я сейчас одна...

— Спасибо, Тоська, но я лучше в гостинице, мне так проще.

— Дело твое. Но на дачу к нам ты поедешь.

— У вас все та же дача?

— Конечно, только кругом ничего не узнать. Ой, Динка, приезжай! Точное число я сообщу тебе на той неделе. Но это будет либо седьмое, либо восьмое июня, так что можешь заказывать билет... Динка, приезжай на подольше, так, чтобы после встречи еще побыть в Москве, пообщаться...

— Я тебе позвоню!

— Не вздумай отказаться! Это будет большое свинство! Ты помнишь Костю Иванишина?

— Конечно! Он был в меня жутко влюблен!

— А ты мучила бедного мальчика! Он, между прочим, у нас сейчас такая звезда, закачаешься!

— Звезда? В какой области? — крайне удивилась я.

— Актер! Знаменитость, пол-Москвы по нему сохнет, красавец стал... и между прочим, когда я ему позвонила, первое, что он спросил: «А Шадрина будет?» Так что имеешь шанс! И вся Москва лопнет от зависти!

— Ты же говорила про пол-Москвы! — засмеялась я.

— Ну правильно, все московские бабы это и есть пол-Москвы!

Я уже задыхалась от волнения и от жуткого желания очутиться в городе моего детства.

— Ты Москву не узнаешь! Ну так что, я могу пообещать Косте встречу с первой любовью?

— Да!

Так вот что означал этот сон — возвращение к истокам, к детству, юности... И хотя до назначенной даты оставалось еще полтора месяца, я вдруг внутренне заметалась... Ну, в университете я все улажу, поменяюсь с Йоном и дней десять смогу выкроить. Десяти дней вполне достаточно... Но с кем я оставлю зверье? Женщина, которая обычно с ними оставалась, на днях перенесла тяжелую операцию и вряд ли до тех пор поправится. Додик может не согласиться... Хотя почему? Он же свободный художник, какая ему разница, где ночевать? Пусть приводит сюда своих баб, мне не жалко. Сегодня же поговорю с ним... А если не выйдет, обращусь к студентам, может, кто-то и согласится... Короче, времени на устройство достаточно. На самый худой конец, отдам их в звериный пансион. Хотя жалко, я один раз пробовала... Им там явно не понравилось, ничего, устроюсь как-нибудь.

Что это со мной? Ностальгия? Я всегда считала себя свободной от этого типично русского недуга... Очевидно, нельзя считать себя свободной ни от какого недуга, вот разве что простатит мне не угрожает и какие там еще есть типично мужские болезни. А все остальное, что случается с людьми, может случиться и со мной... Мне вдруг стало неуютно. И хотя на здоровье я до сих пор не жаловалась, но все-таки уже сорок два... И чтобы не думать о болезнях, я полезла в Интернет, узнать все о московских гостиницах. Ненавижу жить в чужих домах, приноравливаться к чужому образу жизни и вынуждать людей считаться с моими привычками, как бы скромны они ни были. Поэтому люблю гостиницы. Может быть, остановиться в «Национале», если он еще существует? Да, существует. Когда-то в детстве я часто бывала с родителями в кафе «Националь», позже мы ходили в ресторан «Националь» с Андреем Георгиевичем, и я всегда мечтала пожить в этой гостинице. Вот теперь я могу осуществить свою детскую мечту.

Андрей Георгиевич, Андрюша... Интересно, он жив еще? С ним я точно не хочу встречаться, он, наверное, совсем старик уже, ровесник папы. Моя первая любовь. Мне было шестнадцать, ему почти сорок... Я умирала от любви к нему. Дура, идиотка! Самонадеянная кретинка, мне казалось: если я, такая юная, подарила себя и свою любовь такому пожилому человеку, то он должен меня боготворить до самой смерти... А он и не собирался. Он был очаровательный, легкомысленный, сексапильный, и я вовсе не стала его роковой страстью... Просто хорошенькая, молоденькая влюбленная идиотка, которая довольно быстро ему надоела своими претензиями на великую любовь. Тьфу, стыдно вспоминать! Но как я страдала, хотела даже с собой покончить, более того, попыталась. Вычитала в каких-то театральных мемуарах, что в начале двадцатого века некая девица, безнадежно влюбленная в блестящего офицера, вышла в мороз в одном платье и долго гуляла у него под окнами. Разумеется, простудилась и умерла от пневмонии. Мне эта история показалась невероятно красивой, и я тоже вышла на улицу в легком платье, ночью... Но то ли морозы в начале века были сильнее, то ли девушка была слабее меня здоровьем, но у меня даже насморка не случилось. Конечно, я справилась со своим горем, ведь это было уже не первое горе в моей короткой жизни. Сначала отец ушел от мамы, ушел к молодой девушке, которая вскоре родила ему девочку, не прожившую и неделю. Потом тяжело заболела мама и, проболев полгода, умерла, а я осталась одна. Отец, конечно, взял меня к себе, и я даже сумела подружиться с его новой женой. Ее звали Варя, она была милая, добрая, да еще и бабушка всячески старалась нас сдружить. Но спустя года полтора отец ушел от Вари, у него опять закрутился бешеный роман и было совсем не до меня, а бабушка почему-то прониклась острой приязнью к новой даме отца... Для нее вообще не было в жизни ничего важнее прихотей любимого сына, даже внучка была на десятом месте, тем более что бабушка и сама еще работала в полную силу, так что к девятнадцати годам, когда я уехала из Союза, я успела много чего нахлебаться. И сейчас в Москве у меня есть сестра, которую я никогда даже не видела, знаю только, что ей двадцать лет и зовут ее Нелли.

Ах, как я не люблю вспоминать! А тут нахлынуло...

Короче говоря, когда позвонил Додик, я воскликнула:

— Ты хотел где-нибудь поужинать? Я с удовольствием! Не заезжай за мной, я сама приеду, где мы встретимся?

— Динка, что с тобой случилось?

— Расскажу при встрече!

— Ты меня пугаешь! В чем дело?

— Ни в чем, просто нервы...

— А, ну если нервы...

Мы договорились встретиться в маленьком деревенском ресторанчике на полпути из моего бельгийского Маасмехелена до его голландского Маастрихта.

— Ну и что стряслось? — спросил Додик при виде меня. — Какие-то неприятности от Тоси Бах?

Вот за что люблю Додика — он понимает меня почти без слов, как, впрочем, и я его.

— Это не неприятности, отнюдь... — я все ему рассказала.

— Ну, судя по смятению в глазах, ты собираешься ехать, и мне придется стать смотрителем в зверинце? — обреченно произнес он.

— Додька, я тебя обожаю!

— Ты не одинока в своем обожании, — пожал плечами старый друг.

— Не ври, мне же от тебя при этом ничего не надо, кроме дружбы.

— Это-то как раз и прискорбно.

— Перетопчешься.

— Приходится. А зря. Я был бы прекрасным любовником.

— Успокойся, мне такой любовник совершенно не нужен.

Подобные разговоры возникали у нас довольно

часто, но, собственно, ничего не значили — так, болтовня...

— Смотри-ка, как тебя разбередило, — заметил Додик к концу ужина. — У тебя там что, какие-то амуры были в классе?

— Господи, что ты все сводишь к амурам? В классе не было амуров, а вот в Москве...

— Ну это понятно. Надеешься догнать ушедший поезд?

— Ни на что я не надеюсь, это вообще какое-то иррациональное чувство... Вдруг через столько лет потянуло в Москву. Захотелось пройтись по улицам, поглядеть, как там все теперь...

— Стареешь, подруга!

— Может быть...

— Но раз потянуло, значит, надо ехать. Где думаешь остановиться?

— В «Национале».

— Умом тронулась? Это же бешеные деньги!

— Как-нибудь осилю, это детская мечта.

— Не советую! Можно найти что-то и подешевле... Слушай, а хочешь, я позвоню одному приятелю, у него прекрасная квартира на Сретенке.

— Вот еще! Не желаю я никаких приятелей!

— Приятеля не будет, только его квартира! Он там практически не живет. Тебе это обойдется раз в пять дешевле!

— Я подумаю!

— Тут и думать нечего! С ума сошла — жить в

«Национале»! Одна моя приятельница, богатая дама, остановилась в «Национале»! Завтрак в стоимость не входил, она позавтракала в гостинице и заплатила сорок долларов практически ни за что! Тебе это надо?

— А мечта?

— Идиотская мечта!

— От «Националя» до всего близко...

— От Сретенки тоже! И потом, учти еще такую вещь... Если ты своим одноклассникам скажешь, что остановилась в «Национале», тебя могут неправильно понять. Кто-то позавидует, кто-то презрительно фыркнет...

— Глупости, Додик, если такие дураки найдутся, то и черт с ними, мне на них плевать!

— Ну что ж, если тебе уж совсем некуда девать деньги... — Он как будто даже обиделся. — Сколько лет живешь в Голландии, а экономить не научилась.

— Я уже пять лет живу в Бельгии!

— Один хрен!

— Слышали бы тебя и те и другие, — засмеялась я. — Ты мне лучше скажи — неужели двадцать с лишним лет катятся к чертовой бабушке от одного звонка школьной подружки, о которой и не вспоминала все эти годы?

— Ностальгия — штука непридуманная... Но, кроме того, видимо, зерно упало в подготовленную почву...

— Ничего подобного, я и не помышляла...

– Ты просто не отдавала себе в этом отчета. Видимо, твой эмиграционный ресурс исчерпался, и организму, именно организму, а не такой эфемерной субстанции, как душа, понадобилось свидание с родиной. Недаром же Антей припадал к земле... Вот и тебе пришла пора припасть...

– Значит, когда ты в прошлом году мотался в Ленинград, ты тоже припадал?

– Да, я просто не считал нужным об этом говорить, но ощутил это именно так... Но там все немного сложнее... Я-то уехал мальчишкой из Ленинграда, а вернулся взрослым дядькой в Санкт-Петербург... К тому же город, по сравнению с Москвой, находится в довольно плачевном состоянии... Но все равно, я припал и теперь несколько лет могу жить спокойно. А умереть все же хотел бы там. Просто мне еще рановато об этом думать.

– Как это у Бродского? «Ни страны, ни погоста не хочу выбирать, на Васильевский остров я приду умирать»?

– Вот именно. И если позволишь, дам тебе еще один совет.

– Валяй!

– Советую тебе приехать в Москву за несколько дней до вашей знаменательной встречи. И не объявляйся никому. Походи по Москве, освойся, соберись с мыслями и чувствами, реши что-то для себя, а потом уж кидайся в омут встреч и воспоминаний...

— Додик, ты почему такой умный?

— От природы, что ж поделаешь. Сколько поколений умных евреев... Раввины, цадики, крупные физики...

— Это понятно, а вот как ты угадываешь мои мысли? Они еще не вызрели, не сформировались, а ты их уже высказываешь? Я сама уже что-то такое думала...

— Смотри-ка, оценила!

— Я тебя давно оценила, старый ты дурак!

— Боже, как ты непоследовательна!

## Глава вторая
## ТЕТКА

Москва встретила меня холодом и цветущей сиренью. Я прилетела сюда в конце мая, последовав всем советам Додика — никому ничего не сообщив и сняв квартиру на Сретенке у его приятеля, который меня и встретил в Шереметьеве. Приятеля звали Юрой, он был очень приветлив и разговорчив, а квартира оказалась небольшой, но красивой, в новом шикарном доме с охраной.

— Это жена купила себе, когда была еще... не женой, одним словом. Нам тут тесно, продавать она не хочет, сдавать постоянно тоже, говорит, чужие засрут. Сами мы за городом живем, но иногда, по надежной рекомендации и ненадолго, почему не сдать, на булавки, как говорится? Так что живите на здоровье, я о вас много слышал от Додика. Вот вам все мои координаты, если вдруг что... Не дай бог что-то протечет или сломается, обращайтесь вот по этому телефону. Магазин тут прямо в доме, не бог весть что, но самое необходимое можно купить... Ну, вы же москвичка, разберетесь. Раз в неделю приходит женщина убираться, как раз вчера была, ее зовут Нонна Альбертовна, у нее есть ключи, но на всякий случай вот ее телефон. Я ее предупредил... Так, кажется, все. Одним словом, если будут вопросы, звоните мне, не стесняйтесь.

Все это он выпалил единым духом и умчался. А я осталась одна, в полном смятении чувств... Что делать? Как быть? Пока мы ехали из аэропорта, я смотрела в окно и мало что могла узнать. Море машин, пробки... А какое разнообразие марок... В моем детстве, если на улице появлялась заграничная машина, вокруг нее тут же собиралась толпа. Мужики голодными глазами смотрели на заморское диво, некоторые со знанием дела говорили, сколько цилиндров у этой марки, какая предельная скорость, сколько лошадиных сил и все в таком роде. А сейчас... Вон «бентли», а вон «ягуар», а уж о «мерседесах» и «ауди» говорить нечего! Этих как грязи... И реклама, всюду реклама! Раньше я помню только какие-то жуткие плакаты «Мир. Труд. Май», надписи на крышах: «Народ и партия едины», да дегенеративно прищуренного Ильича у въезда на Комсомольский проспект: «Верной дорогой идете, товарищи!» и почему-то совершенно не к месту вспомнился стишок, который ходил по Москве, когда у Калужской заставы поставили памятник Гагарину: «Москва, ликуй, тебе подарен железный х..., на нем Гагарин». Я спросила у Юры, как теперь называется Комсомольский проспект.

– А так и называется! И Комсомольская площадь тоже. Вообще комсомолу повезло, почти все названия сохранились, и «Комсомольская правда», «Московский комсомолец», и даже Театр Ленинского комсомола, который, правда, теперь называется одним вполне благозвучным словом «Ленком», и молодежь понятия не имеет, что эта аббревиатура значит, – охотно отвечал мне Юра.

Я подошла к окну гостиной. Оно было занавешено тюлем и выходило на другое крыло этого же нового дома, который Юра назвал «элитным». Так что Москвы за окном я не увидела. Кухня по западной моде была соединена с гостиной, и ее окно выходило туда же. Я пошла в спальню. Ее окно смотрело в переулок, где стояли кирпичные дома, абсолютно ничем не примечательные, и один старый доходный дом, весь в лесах. Скоро и он обновится, приобретет совсем другой вид... Наверное, это хорошо... Но как-то странно... И вдруг я почувствовала смертельную усталость. Время – девятый час, еще совсем светло, абсолютно нестрашно, тем более дом, похоже, хорошо охраняется, но мне стало как-то неуютно. Надо поскорее обжить эту квартиру, купить цветов, что ли... Но все это завтра, завтра! Я молниеносно развесила вещи, приняла душ и юркнула в чужую чистую кровать, впрочем, она оказалась на удивление удобной. Я хотела включить телевизор, но потом раздумала. Додик предупреждал, чтобы я не злоупотребляла телевидением, а то жизнь в Москве покажется мне слишком страшной.

— Ты сначала сама походи по городу, создай себе какой-то его образ, а уж потом смотри телевизор.

Додик уж точно плохого не посоветует. Книг в этом доме практически не было, только два затрепанных детектива в бумажной обложке и стопка глянцевых журналов. Я погасила свет и постаралась уснуть. Что вскоре мне и удалось.

Я проснулась рано и сразу ощутила зверский голод. В холодильнике стояло несколько йогуртов, десяток яиц, коробочка масла и упаковка плавленого сыра. А также хлеб для тостов. Юра позаботился, спасибо ему. Но чтобы нормально существовать, надо все-таки купить продуктов. Юра вчера сказал, что если выйти из Лукова переулка на Сретенку, сесть на троллейбус, то можно доехать до Рижского рынка, и там рядом есть еще и супермаркет. Мне вдруг стало весело. Тем более за окном светило солнце. Я свободна как ветер, я в родном городе, который сначала любила, потом ненавидела, а сейчас мне предстоит узнать его заново. Насколько я помнила, расстояние от Сретенки до Рижского вокзала не столь уж велико, и я решила пойти туда пешком, а обратно просто взять такси. Наскоро перекусив, я вышла из дома. Сретенка... Ее можно узнать, хотя многих домов уже нет, а многие изменились, помолодели, похорошели...

Кинотеатра «Уран» я не обнаружила, а впрочем, кажется, когда я уезжала, его уже не было? Не помню. Зато хорошо помню, как мы с Тоськой Бах бегали туда, когда прогуливали школу... Интересно, а «Форум» еще существует? Вот и бывшая Колхозная площадь, ныне Сухаревская. Справа какие-то палатки, круглое здание с рекламой японской закусочной. С ума сойти... Слева совсем новое здание торгового центра и отреставрированная церковь... Я уже заметила, что раньше церкви как-то стыдливо прятались, теперь же они, наоборот, как будто выставлялись напоказ... И на той стороне Садового кольца снесены многие домики. В одном из них был комиссионный магазин, где я купила себе первые туфли на высоких каблуках. Как сейчас их помню, черные замшевые лодочки с маленькой кожаной пупочкой... Как я была счастлива! Туфли были почти новые. Я решила немного отклониться от маршрута, чтобы посмотреть, существует ли «Форум» и гомеопатическая аптека рядом с ним. Я часто ездила туда за лекарствами для мамы. Она лечилась у гомеопата... А вот и «Форум», но он не функционирует, похоже, там ремонт. Зато аптека на месте, я хотела зайти внутрь, но передумала. Зачем? На другой стороне Садового кольца когда-то был хозяйственный магазин, теперь там обувной. Я перешла поверху сначала Садовое кольцо, потом и проспект Мира. Так. Книжный, кажется, и раньше здесь был, но в этот час он еще закрыт. Дальше торгуют сигарами, кафе-мороженое Баскин-Роббинс... Когда-то в Москве ходила легенда о том, что московское мороженое самое вкусное в мире. Тогда я в это верила. Но потом мне довелось пробовать мороженое в самых разных странах, и я решила, что это была просто патриотическая легенда.... Интересно, какое сейчас в Москве мороженое? Есть ли еще эскимо, фруктовое в бумажных стаканчиках? Но вот автоматов с газировкой, похоже, уже нигде нет...

Внезапно из-за дома выскочила девчонка лет шести, как-то воровато огляделась, словно ища, куда бы спрятаться. И тут же за ней выбежала пожилая женщина в куртке, накинутой поверх халата.

— Мура! — взвизгнула она. — Мура, не смей убегать, все папе скажу!

— А вот и не скажешь! — топнула ногой Мура. — Не скажешь!

— Немедленно домой!

— Ну, бабушка! — приготовилась реветь Мура.

— Я кому сказала!

Женщина схватила внучку за рукав и поволокла куда-то.

Мура! Как я могла забыть о Муре? Боже мой... Мура, моя родная тетка, мамина младшая сестра... Сколько же ей лет сейчас? Наверное, уже под шестьдесят. А жива ли она? Мне она и тогда казалась старой, ей было под сорок, когда я уехала... Я тогда возненавидела всех, кто так или иначе подталкивал меня к отъезду, а их было много и все желали мне добра, в том числе, конечно, и Мура...

— Дура ты, Динка, будешь жить как белый человек! Без очередей, без этого постоянного унижения из-за любого пустяка... Я вот еще молодая, красивая, а чтобы быть прилично, только прилично одетой, как мне приходится мудровать, сколько времени тратить... — твердила мне тогда Мура.

И вдруг я поняла, что безумно, до головной боли хочу ее видеть. К черту, к черту все, возьму сейчас такси и поеду к ней. Хотя, конечно, не факт, что она живет по старому адресу... Да и жива ли она вообще?

Мне Мура всегда нравилась, да что там, я ее просто обожала и втайне мечтала быть похожей на нее. Как она нравилась мужчинам, как умела покорять их... Большеглазая, темноволосая, статная, она лепила правду-матку в лицо, если кто-то ей не нравился... У Муры постоянно были какие-то романы, вокруг нее кипели страсти, вечно кто-то с кем-то дрался, кто-то кому-то угрожал, одним словом, мне, девчонке, казалось, что Мура живет полной жизнью, в отличие от мамы, которая после ухода отца словно завяла, да так и не ожила больше, стала медленно, но верно умирать... Но это было потом, а в детстве Мура вечно врывалась в наш дом и, запершись с мамой, изливала ей душу, а та даже с некоторой завистью, как мне иногда казалось, говорила: «Ох, и поблядуха ты, Мурка, ох и поблядуха!» В устах мамы, изысканно-интеллектуальной женщины, это звучало странно, как-то простонародно, что ли, и мне казалось: эта интонация — что-то вроде занавесочки, которой мама пыталась прикрыть свою женскую зависть... Хотя завидовать по всем маминым меркам было нечему. Мура не была замужем, у нее не было детей...

Я вышла на проезжую часть проспекта Мира и подняла руку. Почти сразу ко мне подкатила машина.

— На Шаболовку довезете?

За рулем старенького «Москвича» сидел такой же старенький человек.

— Как поедем? — скрипучим голосом осведомился он.

— Все равно.

— Ох, люди говорят «все равно», а потом начинают: почему так едешь, а не иначе. Вы уж лучше скажите!

— Мне действительно все равно, главное, поскорее туда попасть.

— Ну как хотите. А номер дома на Шаболовке какой?

— Не помню, я давно там не была, но я найду.

В машине я закрыла глаза, чтобы не пялиться на обновленные улицы, не отвлекаться от того совершенно забытого тепла, что разливалось внутри при воспоминании о беспутной тетке... Как я могла выкинуть ее из своей жизни на столько лет? За что? Боже мой, сейчас даже вспомнить страшно, какая ненависть ко всем и ко всему жила во мне в первые годы эмиграции... В ее огне сгорело и невеликое мое прошлое, да и настоящее она тоже выжигала. Как я жила тогда? И сколько лет меня все это мучило... А как я мучила всех, кто приближался ко мне... Я была одинока, и только Янек, польский эмигрант на десять лет старше меня, что-то понял, сумел разглядеть и полюбить... И я начала оттаивать, но прошлое, мне казалось, безвозвратно сгорело... А теперь...

— Мадам, вот Шаболовка, — проскрипел старичок.

Я открыла глаза. Шаболовка почти не изменилась. Слава богу!

— Вон к тому дому, пожалуйста!

Я подошла к подъезду. И тут мало что изменилось, только дверь была заперта. Ничего, скоро кто-то выйдет или войдет, я подожду... Господи, только бы она была жива... И вдруг я вспомнила, как она часто шутила: «Чтобы я уехала отсюда? Ни за что! Тут рядом два кладбища — Донское и Даниловское, соседкам будет близко ходить на мою могилку!» — и подмигивала мне, мол, это ерунда, я никогда не умру, не бойся...

Дверь открылась, вышел пожилой мужчина с шарпеем на поводке. Раньше в Москве шарпеев не было. Я проскользнула в подъезд. Пахло тут не слишком хорошо, и лифт не работал. Мне стало легче, вообще тут, на Шаболовке, все было ближе к прошлому... Я поднялась на третий этаж и с бешено бьющимся сердцем подошла к Муриной двери. На площадке было три квартиры. Но Мурина дверь была самой новой и элегантной. Я набрала в легкие воздух и позвонила.

— Кто там? — раздался молодой голос, не похожий на Мурин.

— Простите, Мария Сергеевна дома?

Дверь распахнулась. На пороге стояла девушка в одной майке, босая и растрепанная.

— Доброе утро. Вы к маме?

— Мне нужна Мария Сергеевна Северцева...

— А она на даче. И потом она не Северцева, а Юрьева. Северцева ее девичья фамилия.

— Так ты, значит, ее дочь?

— Ну да, а вы кто?

— Не знаю, говорила ли тебе мама... Я, собственно, ее племянница...

— Вы Дина? — закричала девушка. — Вы правда Дина?

У меня в горле стоял комок. Я только молча кивнула. Но девушка, видно, поняла мое состояние.

— Да вы заходите, что ж на лестнице стоять? Ой, вам плохо, да?

— Нет, нет, просто от волнения... Столько лет прошло... Я очень боялась... Но, слава богу, все хорошо, да?

— Ой, как мама обрадуется! Я ей сейчас позвоню!

— Погоди, а как тебя зовут?

— Майя. Ой, а вы, значит, моя двоюродная сестра? Кузина, да? Супер! — захлопала в ладоши Майя.

— Тебя, конечно, назвали в честь Плисецкой?

— А как вы догадались?

— Мура всегда была помешана на Плисецкой.

В этот момент из комнаты донеслось тихое покашливание. Майя вдруг залилась краской.

— Извините, пожалуйста, я... Я сейчас, да вы проходите на кухню, я кофе сделаю.

Она юркнула в комнату и прикрыла дверь, но я успела расслышать: «Быстро собирайся, моя кузина из-за бугра приехала».

Кухня была совершенно новая, с иголочки, уютная и красивая. Ни одной знакомой вещички я не заметила. С ума сойти, Мура замужем, у нее взрослая дочка, и, судя по всему, она пошла в мать...

Входная дверь захлопнулась. В кухню вбежала Майя. Какая хорошенькая!

— Хотите кофе или какао? Я обожаю какао! Вы вообще завтракали? А то я с голоду помираю.

— Что ж ты своего кавалера голодным выпроводила? — улыбнулась я.

— Перебьется! Ну супер! У меня есть двоюродная сестра!

— И у меня тоже! Здорово! Знаешь, говори мне «ты», а то глупо как-то.

— Вау! Я рада! Ну, хочешь мюсли или яичницу,

есть брынза, помидоры. Можно овсянку из пакетика замурцевать!

— Нет, спасибо, только чашку кофе.

— А какао категорически нет?

— Какао? — словно пробуя на вкус это слово, повторила я. — А давай, сто лет не пила какао!

— Класс! Я тебе сейчас такое какао подам, закачаешься! Ой, а ты, вообще, откуда взялась?

— Из Бенилюкса... — не придумала я ничего умнее.

Майя с любопытством на меня взглянула.

— Так из Бе, из Ни или из Люкса?

— Понимаешь, живу в Бе, работаю в Ни.

— Понятно. Между прочим, в Ни я была. Мы с подружкой ездили в Германию, и нас оттуда возили в Амстердам. Клевейший город! Мы там даже травку курили, в кафе... Но мне не понравилось...

— И слава богу!

— А ты пробовала травку?

— Я еще в Москве пробовала план, это почти одно и то же. Но никакого впечатления.

— А что-то покрепче?

— Нет, слишком хорошо представляю себе последствия. И тебе не советую.

— Да что ж я, больная? У меня тоже были друзья, теперь конченые наркоманы... Нет уж, в жизни и так много радостей!

Вскоре Майя поставила передо мной большую

красивую кружку какао, и не успела я опомниться, как она накрыла ее большой шапкой взбитых сливок из баллончика.

— Класс, да? Ты попробуй! А хочешь туда немножко виски, вообще отпад будет!

— А давай!

— Супер! Слушай, Дина, ты почему столько лет пропадала, а?

— Это сложно объяснить...

— А ты попробуй!

— Знаешь, давай как-нибудь потом, когда я сама во всем разберусь.

— Ладно, как хочешь, давить на тебя не буду.

— Майя, а ты что, учишься или работаешь?

— Учусь! В МГУ, на мехмате!

— Боже ты мой, какой серьезный факультет!

— Да, неслабый! Но я хорошо учусь, сессию досрочно сдала, мы с ребятами собираемся в Турцию, на дельтапланах летать...

— Ты летаешь на дельтаплане?

— Да, это так клево! Мы осенью уже там были... Класс!

— Мама не возражает?

— А что толку?

— Понятно, поздний ребенок царь и бог в семье...

— Да нет, дело не в этом, просто папашка у меня тоже вроде как экстремал, и у мамы на меня уже сил не остается. Ой, Дина, а у тебя дети есть?

— Нет. Только два кота и собака.

— А у нас никого. У мамы аллергия на кошачью шерсть.

— Боже мой, я даже понятия не имела, что Мура замуж вышла! И ты... такой приятный сюрприз. Но расскажи о маме, папе... Он кто?

— Он — Эдуард Сошников! — с гордостью произнесла Майя. Судя по ее тону, всякий приличный человек должен знать, кто такой Эдуард Сошников. Но я не знала.

— Ой, ну ты же не в курсах! Эдуард Сошников — самый сейчас знаменитый писатель, он детективы пишет! У нас одно время бабы-детективщицы всех по тиражам обогнали, но теперь папа занимает первую строчку! Вот так! Я тебе дам почитать! Хотя... тебе, наверное, не понравится...

— Почему?

— Не знаю, мне так кажется! Но это ничего, не страшно... Моим друзьям его книги тоже не очень нравятся... Ну и пусть, я не обижаюсь, у каждого свой вкус. У нас сейчас все тащатся от «Парфюмера»!

— От «Парфюмера»? Зюскинда?

— Ну да!

— Но это же старый роман, я его читала бог знает когда...

— Ну а у нас только сейчас разнюхали, чем пахнет этот парфюмер. Одного нашего парня интеллигентная литературная мама стала отговаривать от этой книги, а он ей прямо: «Поздняк метаться, мать, уже прочитано!»

— А тебе понравился «Парфюмер»?

— Честно?

— Честно!

— Понимаешь, он местами жутко неприятный, просто с души воротит, но все-таки, по-моему, это настоящее...

— Вот-вот, у меня были точно такие же впечатления.

— Правда? — просияла Майя. — А ты кем работаешь?

— Вообще-то я археолог, преподаю в маастрихтском университете.

— Значит, ты препод?

— Совершенно верно, Майя Эдуардовна.

Она вдруг рассмеялась:

— Да нет, я Майя Васильевна. Эдуард Сошников — это папин псевдоним, а на самом деле он Василий Васильевич Юрьев. Понимаешь, ему, когда он только начал писать детективы, в издательстве велели взять псевдоним, потому что уже есть другой детективщик Юрьев... А вообще-то папа авиаконструктор.

— Ну а мама-то как?

— Мама? Нормально! Очень даже клевая пис.дама!

— Что? — поперхнулась я.

— Ну, жена писателя, объясняю для неподготовленных. Она правит папины рукописи, следит за соблюдением авторских прав, а еще папа не любит компьютер, так мама набирает все. Ну и еще готовит, следит за здоровьем... Софья Андреевна наших дней, я так ее дразню. Ну и садом занимается, вкалывает по-черному, если разобраться. Но у них такая любовь, прямо старосветские помещики.

— Они постоянно живут за городом?

— Да, хотя у них есть квартира, но небольшая. А эту отдали мне. Слушай, я хочу тебя попросить... — она слегка потупилась.

— Не говорить маме, что у тебя тут парень ночевал?

— Ага, если можно...

— Но мама, наверное, догадывается?

— Она про другого догадывается...

— Но я же понятия не имею, который тут был, — расхохоталась я. — Поэтому лучше вообще промолчу.

— Да, правда... И потом, она так удивится, когда тебя увидит, ей не до того будет. Слушай, а давай прямо сейчас махнем на дачу? Устроим сюрприз! Я хочу это видеть! А потом папашка вставит эпизод в очередную нетленку!

— Мне немного страшно... Вдруг мама не захочет меня видеть?

— Мама? Не захочет? Я тебя умоляю! Сколько раз она вздыхала: «Ах, Диночка, бедная девочка, как она там одна?» Она ничего о тебе не знала. Случайно до нее дошло, что ты когда-то виделась со своим отцом. Но он даже ничего не сказал. Они отношений не поддерживают. Мама тогда позвонила ему, а он ее отшил... Вот на него она в обиде, а тебе будет рада до смерти! Правда-правда! Давай, поехали!

— А это далеко?

— Да нет! За час доберемся!

— На электричке?

— Зачем? У меня авто! Папашка на восемнадцатилетие отдал свой старый «жигуль». Знаешь, как я вожу! Формула-1 по мне плачет!

— Гоняешь как бешеная?

— Ничего подобного, просто вожу виртуозно, у меня талант... Я, когда на права сдавала, мне инструктор сказал, что я нутром машину чувствую... Не бойся, поедем на нормальной скорости, даже без ветерка. Ветеранов я вожу без ветерка! Ой, ты не обиделась?

— Знаешь, ты внешне не очень похожа на мать, но...

— Но у меня ее обаяние, да? Мне уже говорили!

— А ты уверена...

— Уверена, уверена, погоди пять минут, я только оденусь! Слушай, ты давно приехала?

— Вчера вечером.

— И прямо поутряночке к нам? Супер!

Действительно, через пять минут мы уже садились в темно-синие «Жигули»-«шестерку». Я помнила, как когда-то Костя Иванишин объяснял мне: «Если с молдингами, значит, «шестерка»!»

— Майя, наверное, надо что-то купить... Ну, какие-то продукты...

— Зачем? — искренне удивилась Майя. — Думаешь, тебя обедом не накормят?

— На даче всегда сложно с продуктами...

— Ну ты даешь! Ты куда приехала, а? Этих проблем уже нет, запомни!

— Хорошо, тогда давай заедем в какой-нибудь хороший магазин, я куплю конфет, что ли, вина, коньяку, ну я не знаю... Понимаешь, я ведь не собиралась... Я сама не знала... — жалко лепетала я, чувствуя себя последней скотиной... Как я могла ничего не привезти Муре из-за границы, могла забыть о ней вообще?

— Ну как тебе Москва?

— Супер!

— Молодец, схватываешь на лету! — одобрительно засмеялась Майя.

Я все-таки настояла на том, чтобы Майя привезла меня к супермаркету, где я в изумлении взирала на полные товаров витрины. И это в Москве, где купить нормальные продукты было всегда проблемой, а уж о выборе и говорить не приходилось. И пахло здесь, как в хороших европейских магазинах, а не лежалой, если не тухлой рыбой, как некогда... Я купила бутылку «Хеннеси», французский сыр, бельгийские конфеты и большой кусок севрюги. А когда подошла с покупками к кассе, кассирша, мило улыбнувшись, вручила мне чек со словами:

— Подойдите, пожалуйста, к администратору в

центре зала, вам выдадут дисконтную карточку, это подарок от магазина.

Обалдеть!

Я, конечно, подошла, получила карточку... Когда впервые я столкнулась с этим за границей, то была потрясена и еще пуще возненавидела нищую оставленную родину и зажравшуюся Европу, которая уж не знает, что придумать, чтобы запудрить людям мозги... Какая же я была дура! Несчастная, кипящая ненавистью дура. Сейчас я только умилилась, что, разумеется, тоже глупо... Есть о чем говорить, казалось бы, а вот поди ж ты... Неподалеку от магазина торговали цветами, и я купила букет роз. Цветов много, но с Голландией, конечно, не сравнишь. А с другими странами сравнить уже можно. Только тут они стоят непомерно дорого.

— Ну и на фига ты все это накупила? Особенно цветы?

— Мура всегда любила розы, я помню!

— Ладно, дело твое. Ну все, можем ехать?

— Да! И чем быстрее, тем лучше. — У меня внутри уже все дрожало от нетерпения.

Майя весело что-то болтала, я почти не вникала в смысл ее слов, терзаемая раскаянием — как, почему, за что я когда-то вычеркнула из жизни Муру? Что плохого она мне сделала? Я ведь любила ее. Боже мой, каким уродом я была тогда...

— Ну вот и наш поселок! — возвестила Майя. — Ой, ты такая бледная! Волнуешься?

— Ужасно, — честно призналась я.

— Да ладно, сейчас столько крику будет, столько визгу! Мать задушит в объятиях, а потом начнет кормить на убой! И ни о чем не будет спрашивать, пока не убедится, что ты здорова, сыта, пьяна и нос в табаке. Это уже наша улица!

Улица представляла собой два сплошных ряда высоченных глухих заборов, выкрашенных темнозеленой краской, через которые перевешивались ветви старых деревьев.

— Унылая картинка, да? — улыбнулась Майя. — Не то что у вас в Бенилюксе! Ничего не попишешь, старый генеральский поселок. Приехали! — Она выскочила из машины и открыла ворота. Потом вернулась и принялась неистово сигналить, прежде чем въехать. Я увидела, что на крыльцо старого двухэтажного дома выскочил мужчина в шортах, немолодой, с кривоватыми ногами. Майя въехала на участок, продолжая сигналить. И тут из дома выбежала Мура. Из машины мне показалось, что она совсем не изменилась...

— Майка, прекрати хулиганить! — крикнул мужчина.

— Тебе помочь выйти? — шепнула Майя.

— Нет, я сама... — Я попыталась открыть дверцу, но руки меня не слушались.

— Мама! Мама! Иди сюда, смотри, кого я привезла! Обалдеешь!

Я все-таки справилась с дверцей, вылезла и остановилась, а Мура, близоруко щурясь, спешила к машине. Я стояла столбом. Она вдруг тоже остановилась, нас разделяло метра два. И вдруг она всплеснула руками, потом бессильно их опустила.

— Это ты?

— Я.

— Господи, какое счастье! — негромко проговорила она, и мы бросились друг другу в объятия, заливаясь слезами. — Динка, Диночка, детка моя, боже мой, я и не чаяла... Как ты меня нашла? Дай я на тебя посмотрю! Вася, Вася, скорее, Вася, это Дина, Дина приехала!

Подошел Вася.

— Мурочка, ты задушишь девушку!

— А на меня, значит, ноль внимания, фунт презрения? — со смехом спросила Майя. — А кто, между прочим, вам устроил эти именины сердца, а?

Но мать, казалось, ее даже не услышала.

— Динка, какая ж ты умница, что нашлась... Вася, ты помнишь, мне вчера сон приснился, я еще тебе говорила, что видела во сне ее маму, вот к чему был этот сон, вот и не верь после этого снам. Какая ты стала... взрослая... А я уж совсем старая...

— Не выдумывай, ты вообще не изменилась.

Вася между тем закрыл ворота.

— Ну, девушки, идемте в дом... Что ж тут стоять на солнцепеке...

— Пап, погоди, возьми вот, Дина тут накупила...

Они выгружали из машины мои покупки, а мы с Мурой стояли обнявшись и молчали, как будто принюхиваясь друг к другу. Не знаю, что ощущала она, а я вдруг ощутила радостный покой.

— Мурочка, прости меня, если можешь...

— Господи, да за что прощать-то? Я так рада!

Майя с отцом ушли, а мы все стояли.

Наконец Мура спохватилась:

— Да что ж мы стоим, как две идиотки? Пошли, пошли... Ты откуда? Надолго ли?

— Недели на две...

— Ой, как мало... Ты есть хочешь?

— Что? Нет, не хочу! Мурочка, какая у тебя дочка, я и не знала...

— Да... надо же... Ой, а как ты ее нашла?

— Просто приехала на Шаболовку, позвонила в дверь, а там дочка...

— Хорошая девка, правда?

— Просто прелесть!

— А у тебя дети-то есть?

Я молча покачала головой.

— Ничего, еще не поздно, я вон в тридцать девять родила...

— Мне уже сорок два, и вообще...

— Мама, у тебя что-то горит! — не своим голосом закричала из дома Майя.

— О господи! — схватилась за голову Мура и помчалась в дом. Я нерешительно двинулась за ней, и тут же мне навстречу вышел Вася. Он успел переодеться, теперь на нем были брюки и черная футболка с надписью «Да!»

— Очень рад познакомиться! — Он взял мою руку и поднес к губам. — Много слышал о вас. Сколько ж лет вы не были в России?

— Больше двадцати.

— Потянуло на родину?

— Знаете, я... Меня пригласили на встречу одноклассников, и я вдруг поняла, что безумно хочу в Москву.

— Встреча одноклассников? Сейчас это стало модно... Есть даже телепередача... Ваша встреча уже состоялась?

— Нет, я только вчера приехала.

— И где вы остановились?

— Сняла квартиру в Луковом переулке.

— Ну зачем это? Перебирайтесь к нам, Мура будет счастлива!

— Спасибо, я очень вам признательна, но предпочитаю жить, никого не обременяя...

— Мура вам все равно не даст! Кстати, вы можете жить в нашей городской квартире... Зачем платить деньги, если можно их не платить?

— Спасибо, но я заплатила вперед.

— Ну что с вами делать!

Тут появилась Мура.

— Еще минутка — и картошка бы сгорела! — покачала она головой. — Динка, Вася тебя тут охмуряет?

Я сидела на диванчике, она подошла, села рядом, обняла меня.

— Скоро будем обедать, ты любишь зеленые щи?

— Обожаю.

— Вот и хорошо! А потом ты мне все расскажешь! Вася после обеда спит, Майка умчится в город... Ты ведь останешься у нас?

— Ну если только до утра... Мне еще надо... Кстати, как отсюда можно добраться до Москвы без машины?

— Я вас отвезу до станции, — сказал Вася. — Мураша, во сколько мы будем обедать? У меня есть часок на работу?

— Да.

Вася ушел.

— Ты с отцом видишься?

— Нет.

— И не собираешься?

— Еще не решила... А ты что-нибудь о нем знаешь?

— Так, слышала кое-что...

— Он все с той же женой?

— Да где там! Лет шесть назад переженился. Теперь у него пятилетний сын.

— Во дает! — ахнула я. — Значит, у меня есть маленький брат?

— И еще сестра, почти ровесница Майки. Красавица, надо сказать!

— Ты ее видишь?

— Видела года два назад в театре. Она была там с твоим папашей. А вот мальчонку ни разу не видела.

— А бабушка? Она умерла?

— Да нет, живехонька, ей уже под девяносто. Но, кажется, она в полном здравии. А вот Андрей твой умер года три назад.

— Я это чувствовала... Не знаешь, где он похоронен? Кстати, давай к маме на кладбище съездим?

— Господи, обязательно! Я за могилой слежу, ты не думай... А где Андрея похоронили, не знаю. Отец твой, возможно, и знает, а я просто прочла некролог в газете... Тебя сразу вспомнила, как ты из-за него с ума сходила... Он и вправду был хорош... Ой, Динка, пошли на кухню. Ты зелень нарезать в состоянии?

— Конечно! Могу и что-то посложнее сделать.

— А ты... Ты замужем?

— Нет... Муж умер уже довольно давно.

— Ну а любовник-то хоть есть?

— Сейчас и любовника нет.

— С ума сошла? Как можно в твоем возрасте?

— Что-то никто не нравится.

— А ты работаешь?

— Да, разумеется, преподаю, я археолог.

— Ты археолог? — безмерно удивилась Мура.

— Да.

— С ума сойти, вот уж никогда бы не подумала, что тебя потянет в далекое прошлое... Где же ты училась?

— В Германии, в Гейдельберге.

— Ой, Динка, я так хочу все о тебе узнать...

Но она не договорила, в кухню ворвалась Майя и плюхнулась на табурет.

— Ну что, мам, хорош сюрпризец, а? Кайф, я просто тащусь — у меня двоюродная сестра!

— Подумаешь, новости, я всегда тебе говорила, что у тебя есть двоюродная сестра.

— Ну мало ли кто у меня еще есть в огромном блистающем мире! Может, папуля настрогал еще две дюжины детишек, прежде чем тебя встретил, но я то их не знаю! Очень может быть, у меня есть клевейший единокровный старший брат, мечта всех девчонок! Гонщик Формулы-1! Или великий ученый!

— Размечталась, дурища! Кстати, как Алик?

— Да нормально! — Майка поскучнела. — Мам, скоро обед?

— Накрывай на стол!

— Слушаюсь!

— Мурочка, ты мне тоже должна будешь рассказать все.

— О чем это?

— О Васе, о вашем романе...

— Господи, когда это было! — растрогалась Мура. — Знаешь, я... Помнишь, твоя мама меня поблядухой звала?

— Еще бы!

— И она права была, но как Васю встретила — все, как отрезало, ни на одного мужика и смотреть не хотелось... Теперь уж что говорить, но тогда, помню, все удивлялись.

— Ты стала верная супруга и добродетельная мать?

— Ты еще помнишь русскую поэзию? — умилилась Мура. — И кстати, ты прекрасно сохранила язык. Сейчас масса эмигрантов приезжает, многие уже плохо говорят... Слушай, а что это за история, ну, будто бы ты кого-то там чуть ли не отравила?

— Боже, Мура, и ты могла в это поверить? — с тоской спросила я. Неужели эта гнусная выдумка обсуждается уже и здесь? Наверняка. Вот и Тоська вскользь упомянула...

— Нет, я не поверила, бред сивой кобылы, я сразу поняла. Если тебе неприятно об этом говорить, не надо! Забудь!

Но настроение у меня упало. И Мура сразу это почувствовала.

— Ты расстроилась, да?

— Мне эта глупость столько крови попортила...

— Все, забыли, или, как выражаются Майкины друзья, забили! Мы на это забили!

— Ну забили так забили. Как-нибудь я тебе расскажу, чтобы ты ничего такого не думала, но сейчас неохота портить настроение, понимаешь?

— Прекрасно понимаю!

## Глава третья
## КОТ НА ОГРАДЕ

Обед на веранде показался мне верхом кулинарного наслаждения. И хотя мне случалось обедать в самых шикарных ресторанах, даже у Максима в Париже, но, по-моему, я нигде не ела ничего вкуснее Муриных зеленых щей со сметаной и половинкой яйца в тарелке, котлет с молодой картошкой, золотистой от растопленного масла и щедро посыпанной укропом, и клюквенного киселя! Я забыла о всех правилах разумного рационального питания, подсчете калорий, уписывала за обе щеки.

— Ой, как приятно, что у тебя такой хороший аппетит! — умилялась Мура. — Хочешь еще кисельку?

— О нет, спасибо, я уже еле дышу! Просто все так вкусно... Все такое родное... Ты знаешь, в Бельгии нельзя купить нормальную сметану. Ее там просто нет! Я привожу ее из Германии, когда там бываю.

Майка поцеловала всех нас на прощание и умчалась.

— Мура, по-моему, у Диночки слипаются глаза. Ей надо поспать! — мягко заметил Вася.

— После такого обеда еще и спать? — ужаснулась я, но в сон меня клонило неудержимо.

— Ничего! Сегодня у тебя было столько волнений, что все калории сгорели, — засмеялась Мура, — а еще вечерком мы с тобой пойдем погуляем, у нас тут красивые места. Ты где предпочитаешь спать, в доме или в саду?

— В саду!

— Пошли тогда!

Мура провела меня в заднюю часть сада, где на лужайке стояла полосатая качалка-диванчик под тентом, которая в моем детстве представлялась мне верхом красивой жизни. Я видела такое только в кино и редких заграничных журналах.

— Тебе тут удобно будет? Хочешь, я ее закреплю, чтобы не качалась? Помнишь, как ты не любила гамак?

— Ну еще бы, он так больно врезался в кожу...

Мура убедилась в том, что мне удобно, поцеловала меня и ушла. Но сразу вернулась и принесла махровую простыню.

— Накройся, а то мошки какие-нибудь...

Я закрыла глаза и тут же провалилась в сон. Не знаю, сколько я спала, но проснулась от чьего-то задушенного голоса:

— Барсик, Барсик!

Я открыла глаза, и взору моему представилась картина достаточно уморительная. На высоченной, под три метра кирпичной ограде, отделявшей Мурин участок от соседнего, сидел здоровенный, толстущий кот, пушистый, полосатый, а к нему по ограде подползал мужчина с куском сырого мяса в руке.

— Барсик, миленький, хороший, поешь, ну, пожалуйста...

Стена была узковата даже для кота, его мохнатое пузо на ней не умещалось. Хозяину наверняка было не слишком удобно ползти. Я чуть не скончалась от хохота. Мужчина не замечал меня, он был слишком целеустремлен. Но Барсик взирал на него весьма надменно.

— Барсик, поешь, я тебя умоляю!

Тут уж я не выдержала.

— Послушайте, он не похож на голодающего, ваш Барсик! — сказала я и тут же испугалась, что мужик сейчас свалится с ограды. Но ничуть не бывало.

— Здравствуйте, — невозмутимо сказал он. — Ради бога извините, просто кот третий день ничего не ест, а вчера залез сюда и сидит... Хозяева уехали, и мне его поручили... Я за этим поганцем ползаю, а он как будто смеется. Извините еще раз.

Мне стало жалко бедолагу. Наверное, больно лежать пузом на кирпичной ограде. И тут я приметила у гаража лестницу-стремянку. План созрел мгновенно.

— Попробую вам помочь. Вы зовите его, отвлекайте, а я зайду с тыла.

Я прислонила стремянку к стене позади кота, тихонько влезла и затаилась, чтобы не спугнуть его. Он сперва беспокойно вертел головой, но потом, видно, решил, что я никакой опасности для него не представляю. А мужик продолжал подлизываться к коту:

— Барсик, Барсинька, хороший, ну иди сюда, иди!

И тут я схватила кота. Он возмущенно взвыл, но я умею обращаться с котами.

— Ну, тихо, тихо, ничего плохого я тебе не сделаю. — Я прижала его к себе, он, как ни странно, не пытался выдраться, а доверчиво прильнул ко мне. Видимо, он не только из вредности сидел на стене, а, забравшись туда, боялся слезть. С моим Мойшей вечно происходит то же самое. Уж сколько раз я доставала его с деревьев... А Барсик вдруг громко запел. — Ах ты, умница, какой чудный кот.

Мужик на стене кашлянул, словно напоминая о себе.

— Э... вы позволите спрыгнуть к вам? Чтобы я мог его забрать.

— Пожалуйста!

Он довольно ловко соскочил с высокой ограды. И еще помог мне слезть со стремянки. Но Барсик не пожелал идти к нему, а судорожно вцепился в меня.

— Вот сволочь! — в сердцах сказал мужик. — Простите... это я про него.

— Не волнуйтесь, я поняла. Да что вы тычете ему мясо, он пережил стресс и совсем не хочет есть.

— Какой еще стресс? — В его голосе послышалось возмущение.

— Я вам потом объясню.

— Но что же мне делать?

— Я отнесу его к вам, он окажется дома, в спокойной обстановке, и через час-другой попросит есть.

— В самом деле? Я вам страшно благодарен. Идемте.

Попав на соседний участок, я сразу поняла — кирпичную стену воздвигли не Мура с Васей. Дом соседей был новый, с иголочки, и поражал великолепием и безвкусицей.

Едва мы поднялись на террасу, похожую на круглый аквариум, Барсик сразу успокоился и охотно перешел с рук на низкое леопардовое кресло. И сразу начал умываться.

— У меня нет слов! — воскликнул мужик, а я наконец посмотрела на него. А он на меня. Он был большой, рыжий, синеглазый и показался мне весьма привлекательным. И при этом он очень серьезно, и я бы даже сказала потрясенно, смотрел на меня.

— Как вас зовут? — спросил он вдруг.

— Дина.

— А меня Сергей. Вот и познакомились... Вы тут постоянно живете?

— Где?

— На даче.

— Нет, я тут в гостях.

— У вас комар...

— Что? — не поняла я.

Он вдруг довольно сильно хлопнул меня по лбу. Я отшатнулась:

— Вы с ума сошли?

— Комар же! — Он протянул мне огромную раскрытую ладонь с кровавым трупиком комара. — Простите, я сделал вам больно?

— У вас тяжелая рука!

— Мне это уже говорили, — смущенно улыбнулся он.

— Смотрите, Барсик спит. Вот что значит родные стены, — предпочла я перевести разговор.

— Вы иностранка? — вдруг спросил он.

— С чего вы взяли?

— Сам не знаю, вдруг показалось... Я не прав?

— Да нет, в общем-то, правы, я больше двадцати лет иностранка...

— И где вы живете?

— В Бельгии.

— Дина, я сам не знаю... Ерунда какая-то... Кажется, я в вас влюбился. С первого взгляда... Я, наверно, веду себя как полный идиот, да?

И вдруг я услыхала громкий голос Муры:

— Дина! Ди-и-ина! Где ты? Дина!

— Простите, мне пора, меня уже ищут!

— Что ж, вы так и уйдете?

— А что вы предлагаете?

— Сколько вы тут пробудете?

— Собираюсь завтра вернуться в город.

– У вас есть мобильник?

– Разумеется.

– Диктуйте номер, я вам завтра позвоню! А может, еще сегодня, если будет невмоготу.

– Вася! Вася! Дина куда-то пропала! Дина! Дина!

– Иду! – крикнула я и побежала к калитке.

– Господи, детка, куда ты делась? Я уж не знала, что и думать! – кинулась ко мне Мура.

– Понимаешь, кот соседский на забор залез, пришлось помочь его оттуда снять!

– Барсик?

– Ну да, Барсик.

– С ним это не первый раз, и он почему-то идет на руки только к их шоферу.

– Вот и ко мне пошел.

– А кто там был, Рита?

– Какой-то знакомый хозяев. Они в отъезде.

– А! Ну слава богу, я уж испугалась... Ты хоть поспала? Удалось?

– Да, спасибо, чудесно поспала.

– Тебя комар укусил. Странно, в этом году мало комаров.

Поздним вечером, отправив Васю спать, мы с Мурой сидели вдвоем, пили чай и говорили, не могли наговориться, но разговор был сумбурный, стройного рассказа о жизни ни у меня, ни у нее не получалось. Мы то и дело сбивались на общие воспоминания о маме, о моем детстве и юности, о ее молодости, ее романах. Я вспоминала ее подруг, она моих.

– Ох, Динка, уже второй час! Надо ложиться, мы рано тут встаем, а ты спи сколько влезет.

– Нет, я вообще плохо сплю и встаю рано...

– Плохо спишь, потому что одна!

– Ерунда! А ты мне так ничего и не рассказала.

– Естественно, слишком много нахлынуло... Но мы же не последний раз разговариваем! Ты должна приехать к нам на несколько дней, тут ведь хорошо, правда?

– Да если б даже тут было плохо, я все равно ни за что не хочу снова тебя потерять. И мне очень нравится твой Вася, а Майка просто прелесть. Вы должны все приехать ко мне! У меня большой дом...

– Обязательно приедем, но лучше я приеду одна! Хоть отдохну от домашних дел, вот тогда-то мы и наговоримся. У тебя есть камин?

– Есть!

– Сядем с тобой у камина и будем говорить без помех... А с отцом ты все же повидайся. Надо, детка.

– Не уверена.

– И с бабкой повидайся, а то, не дай Бог, помрет, будешь жалеть. А кстати, почему вы с отцом только один раз виделись?

– И то случайно.

– Случайно?

– Ну да, совершенно случайно столкнулись в Париже, в ресторане, он там был не один, с какими-то французами, и договорились встретиться на другой день...

— И не встретились? — ахнула Мура.

— Ну почему же, встретились. Но как совершенно чужие люди... Он словно испытывал неловкость, ему это общение было в тягость...

— А тебе?

— И мне тоже, но как бы это объяснить... Мне было тяжело... в ответ.

— Думаю, ты неверно расставила акценты. Ему было тяжело оттого, что ты сама не пожелала поддерживать отношения с ним, со всеми нами... Думаешь, я не поняла, что ты во многом нас винила? Сколько лет прошло, я до сих пор помню твои глаза несчастного котенка, которого неведомо куда тащат и неведомо, что с ним будут делать... Я, когда вас провожала в Шереметьеве, вдруг страшно пожалела, что уговорила тебя выйти замуж, уехать, мне показалось, что ты нас всех ненавидишь. И не слишком удивилась, когда ты исчезла, не стала отвечать на письма и звонки...

— Это правда, я тогда ненавидела весь мир... И больше всех себя и своего дурацкого мужа... Я через три месяца бросила его...

— И что? — немного испуганно спросила Мура.

— Не поверишь... Подалась к рокерам.

— К каким рокерам?

— Сейчас они, кажется, называются байкерами... Ну, которые гоняют на мотоциклах. В Союзе их, по-моему, тогда еще не было, а там... Сошлась с парнем, студентом, он изучал славистику, неплохо говорил по-русски и меня тоже изучал как занятный экспонат... А я и его ненавидела, потому что это было не мое, вся эта рокерская жизнь... Она была мне не менее противна, чем все остальное. А потом... Не знаю, что было бы со мной, если б я на своем дряхлом мотоцикле не сбила Янека... Он был старше меня на десять лет. Его родителей, польских евреев, еще Гомулка выслал в Израиль, но он потом перебрался в Германию и преподавал в Гейдельбергском университете. И он в меня влюбился.

— За то, что ты его сшибла?

— Я так тогда испугалась... А он меня пожалел... Все про меня понял и увез в Египет, на раскопки... Он говорил: «Тебе надо окунуться в далекое прошлое, погрузиться с головой, тогда ты успокоишься...» И оказался прав. Прошлое и пустыня вылечили меня. Не сразу, но вылечили. И еще любовь... Он любил меня, не стремился отделаться от меня и моих проблем, он просто их решал. Заставил меня пойти учиться, заниматься языками.

— Ну, ты же очень способна к языкам. С детства на лету все хватала.

— Да, языки мне даются легко.

— А где этот Янек теперь?

— Не знаю. Когда я встала на ноги, он ушел от меня. Взялся спасать еще какую-то девицу, на сей раз из Бразилии...

— И сколько лет ты с ним прожила?

— Восемь.

— Но ты не любила его?

— Я? Я-то любила, и, когда он ушел, мне показалось, что мир рухнул... Но я поехала на раскопки, окунулась в далекое прошлое и вылечилась, на сей раз уже сама. И заодно поняла, что, собственно, все вполне логично. Янек был спасателем по призванию. И когда меня спасать уже было не от чего, он просто утратил ко мне всякий интерес, в том числе и сексуальный. Ну что ж, я его забыла, как забыла Москву, потом рокерские скитания... Я взялась за голландский и задалась целью найти достойную работу в Голландии, потому что там скапливалась потихонечку группа русских эмигрантов. Существовал даже такой спорт: студенты-слависты ездили стажироваться в Россию, женились там по рекомендации на русских и, соответственно, выходили замуж и так вывозили людей в свободный мир. А я еще в Гейдельберге познакомилась с одним таким вывезенным из Ленинграда парнем, мы очень подружились и до сих пор дружим.

— Только дружите?

— О да, он герой не моего романа, но близкий мне человек по духу. И у меня все получилось, я переехала в Голландию, стала работать там, меня неплохо приняли в эмигрантских кругах... Мне казалось, что жизнь наконец наладилась, и я стала мечтать о ребенке. Придумала, что найду себе красивого, а главное — здорового и с высоким ай-кью парня, забеременею и рожу себе ребенка. Голландия весьма подходящая для этого страна, там социальные структуры так высоко развиты, что... Одним словом, там мать-одиночка вполне может прожить даже без работы, а у меня была хорошая работа, но тут...

— Что? — испуганно выдохнула Мура.

— Я встретила человека, которого звали точно так же, как героя моей любимой детской книжки... Помнишь, «Серебряные коньки»?

— Ну еще бы! И как же его звали? Неужели Питер ван Хольп?

— Совершенно верно, — рассмеялась я, — Питер ван Хольп.

— Он был красивый?

— Да, пожалуй, его можно было назвать красивым. Высокий, статный, голубоглазый. Мы познакомились в доме одной эмигрантки, любовницы богатого еврея из Ирака. У них были какие-то общие дела. Начался бешеный роман, и через полгода мы поженились. И вот этого мне не простили.

— Кто?

— Эмигрантские круги. Я прекратила с ними всякое общение, со всеми, кроме Додика... А когда Питер внезапно умер, они придумали эту жуткую историю... Питер ведь был довольно богатым человеком, и все наследство досталось мне. Короче говоря, там сплели такую паутину, что будь здоров! Мол, я хотела получить наследство и отравила Питера каким-то таинственным ядом...

— И что?

— В результате ничего, но нервы мне потрепали изрядно. Одно могу сказать — эмиграция штука ох какая несладкая! И движущая сила там — зависть, ну а у нас еще нашлись люди редкостно гнусные, особенно один незадачливый музыкант с сестрой. Они больше всех старались, даже в полицию написали, что я отравила и своего первого мужа, но тут им не повезло — тот был живехонек-здоровехонек, короче, вся история разъяснилась в три дня, но знаешь, как в старом анекдоте — то ли он украл, то ли у него украли, но осадок остался. И в результате я продала дом и перебралась в Бельгию, в маленький уютный городишко, подальше от этой паучьей компании. Я, знаешь ли, археолог, и арахнология не моя наука. Но, как я вижу, слухи дошли и до Москвы.

— Погоди, раз уж ты об этом сама заговорила... Отчего все-таки умер твой муж?

— У него, как выяснилось при вскрытии, была какая-то редкая болезнь, он подцепил ее в джунглях Амазонки. Но я ничего об этом не знала, он никогда не говорил, да, наверное, и сам не знал... Он вдруг плохо себя почувствовал, у него поднялась температура, ну, мы решили, что это простуда, он выпил аспирин, я даже не волновалась особенно, а утром он стал задыхаться и как-то страшно распух в течение получаса, когда врач приехал, все было кончено. И он сказал, что это похоже на отравление... Ну и закрутилось... Одна дамочка даже ухитрилась сообщить в газеты, что меня подозревают в убийстве. Но подозревали меня ровно сутки... А вони было, вони... Говорили, что я дала взятку патологоанатому. Они в своем рвении как-то забыли, что это не Россия...

— Господи, неужто все эмигранты такие сволочи?

— Боже упаси, там масса хороших людей, но очень многие, даже большинство, стали как-то странно на меня посматривать, держались весьма сухо, и за моей спиной часто возникал шепоток. Мол, дыма без огня не бывает и все такое... Да что говорить, меня не одну там подвергали остракизму. Например, про очень милую даму из Риги говорили, что ее дочь, оставшаяся в Латвии, собирается отнять квартиру у еще одной рижанки, попавшей в Амстердам... Выдумки чистой воды, но и эта дама тоже предпочла уехать, не выдержала, так что сама понимаешь...

— Тьфу! Не желаю больше говорить на эту тему. Но с отцом все же хотя бы созвонись, а лучше бы повидаться. Если тебе сложно, я могу сама ему позвонить, хочешь?

— Нет, я уже большая девочка.... А кстати, кто тебе-то сказал про мою историю, а?

— Да какая разница? Ты мне лучше скажи, после смерти мужа у тебя кто-нибудь был?

— Бывали, я бы так сказала, но если честно, что-то мужиков нет на горизонте. Перевелись, что ли, вымерли? Мужик — это ж не только член...

— Ты, как всегда, зришь в корень! — засмеялась Мура. — Ну все, смотри, уже светает, спи давай!

— Попробую. Ты прости, что так тебя заболтала, ты же рано встаешь...

— Не страшно, могу и днем поспать, не развалюсь.

— Должна тебе заметить, что ты прекрасно выглядишь! Никогда не дала бы тебе твоих лет!

— Наверное, оттого, что на воздухе живу! Спокойной ночи, детка, я сегодня просто счастлива. Спи!

И она ушла. А у меня сна не было ни в одном глазу, слишком все разбередилось, ожило... Наверное, все же Мура права, надо встретиться с отцом и бабкой, так сказать, для очистки совести. Хотя и страшновато... Но тут в памяти всплыли слова незадачливого котолова: «Кажется, я в вас влюбился...» Смешно, ей-богу. Влюбился он... Видали мы таких. Хотел вечером позвонить и не позвонил! Ну и не надо, это ведь он влюбился, а не я. Интересно, я еще способна влюбиться? Додик перед отъездом меня предостерегал: «Смотри, подруга, надышишься дымом отечества, могут всякие несвоевременные мысли появиться, о любви например. Романтика всякая полезет в твою преподавательскую голову, и как теперь говорят в России, крыша съедет, глупостей наделаешь...» Нет, не наделаю я глупостей, и никакая романтика в голову не полезет. Мне тут и без любви хватает эмоций, а ведь это еще только начало, так что рыжий ловец котов пусть спит спокойно.

## Глава четвертая
## МНЕ ОНО НАДО?

Утром Мура потребовала, чтобы Вася отвез нас обеих в город, она хотела во что бы то ни стало видеть, где и как я устроилась.

— Заодно и к Майке нагряну, посмотрю, не заросла ли грязью... Доверяй, но проверяй. А вообще-то я просто не хочу так сразу с тобой расстаться, — призналась она тихо.

Я была рада, но сочла своим долгом уединиться в сортире и позвонить Майке, предупредить о визите матери.

— О, Дина, ты настоящий друг! Спасибо тебе! А то тут могли такие тайфуны и торнады возникнуть... Класс! Еще раз спасибо! Будем держать связь! Я тебя обожаю!

Мне это было приятно слышать, у меня никогда раньше не было кузины, а эта мне нравилась.

В машине у меня вдруг зазвонил мобильник. Номер высветился совершенно незнакомый.

— Алло!

— Дина, с добрым утром!

— Кто это?

— Телохранитель Барсика, помните?

— А, здравствуйте! — более неподходящего момента нельзя было выбрать. Но, как ни странно, я вдруг заволновалась. — Как поживает ваш подопечный?

— Вашими молитвами! Дина, когда мы увидимся?

— Понятия не имею.

— Тогда вечером я вам позвоню часов в шесть, и мы договоримся точнее. У вас вечер не занят, надеюсь?

— Пока нет.

— Отлично! До свидания. Между прочим, я из-за вас всю ночь не спал. Пока!

И он отключился.

— Это кто звонил? — полюбопытствовала Мура.

— Мураша, задавать такие вопросы неприлично! — напомнил жене Вася.

— Почему это? Она — моя родная кровь, и мне не безразлично... какие мужики ей звонят.

— С чего ты взяла, что это был мужик? — удивился Вася.

— Ты сидишь за рулем и смотришь на дорогу, а я смотрела на нее, и она слегка вспыхнула. Разве не так, Динка?

— Совершенно не так! Я не вспыхнула, а рассердилась, это звонил родственник одной знакомой, я привезла ему посылочку, а он ее должен забрать... —

забормотала я, сама не зная почему. Ну сказала бы я правду, не упоминая о дурацких любовных намеках, так нет, с ходу стала врать... Интересно, почему? Он что, нравится мне, этот рыжий? Да нет, наверное...

Мура очень внимательно на меня смотрела, потом удовлетворенно улыбнулась, как будто разглядела то, что ей хотелось увидеть.

Вася довез нас до Сухаревки, а сам собрался поехать в автосервис.

— Вася, только по дороге загляни к Майке, посмотри, что там и как...

— Мураша, ну ты же знаешь, я ничего не замечу! — жалобно произнес Вася. — Это же ваши женские дела...

— Вот принесет Майка в подоле, будешь знать!

— Ну что за чушь, они же теперь просвещенные, контрацепция и все такое. И потом, если она залетит от Алика, это хорошо, а если от Вани или Коли, плохо?

— Но Алика-то я знаю и семью его знаю, а эти прохожие молодцы. Короче, ты заедешь и посмотришь, что и как!

— О господи! — тяжело вздохнул Вася.

Пока мы шли к дому, Мура пыталась мне объяснить:

— Понимаешь, у нее есть один парень, просто чудо! Умный, красивый, многообещающий, из хорошей семьи, ее просто обожает, а она хвостом крутит, хотя я точно знаю, что она с ним уже спала...

— А если ей не понравилось?

— Да что она понимает еще? Просто она жутко любопытная, наверное, хочет сравнить... И кто знает, куда ее любопытство заведет. Я хочу, чтобы она вышла за Алика. Мне тогда будет спокойно, я очень боюсь, что она пошла в меня...

— Тоже поблядуха? — засмеялась я.

— Вот-вот, в наше время это куда опаснее, чем раньше... СПИД и все такое... А в Майке такие черти водятся... То она с парашютом прыгает, то с тарзанки, зимой горные лыжи, а я умираю со страху... Пусть бы она поскорее замуж вышла, родила и забыла обо всех глупостях...

— А учеба?

— Да ну, блажь одна, какой из нее математик! Она туда за парнем поперлась, так он провалился, а эта фифа поступила. Она способная, как черт. Но все равно, я чувствую, не ее это стезя, просто ей нравится, что она учится на мехмате, там публика продвинутая, как она выражается. А вообще, у нее семь пятниц на неделе, я готова к тому, что она в любой момент заявит: «Я поступаю в театральный или в текстильный», черт ее знает... Ого, у вас тут даже охрана, ну надо же, как теперь говорят, круто!

Квартира ей понравилась.

— Очень даже мило тут! Ладно, живи, я понимаю, тут удобно, от всего близко... А кто все-таки тебе звонил?

— Мура!

– Что Мура? Это нескромный вопрос? Но ты же говорила, у тебя никого нет...

– Правда нет.

– Слушай, а ты не вздумала ли романиться с тем мужиком, который за котом присматривает, а?

– Да побойся бога!

– А впрочем, это неважно, захочешь, сама расскажешь. Ну, давай, звони отцу!

– Что, прямо сейчас? – испугалась я.

– Не бледней, Дина, это надо сделать!

– Лучше я потом...

– Чего ты боишься?

– Сама не знаю... Просто как-то... Не нужна я ему триста лет. У него вон сын маленький, а тут тетка за сорок...

– Глупости какие, все равно родная кровь. Ты вон и со мной сколько лет не зналась, а теперь...

– Ты – другое дело!

– Но он-то роднее тебе!

– Ерунда это кровное родство. Один раз мы уже повстречались как чужие...

– Мало ли что тогда было. Звони!

– Я его телефона не знаю, – ухватилась я за соломинку.

– Динка, не говори ерунды. Вот тебе его телефон!

И она вытащила из сумочки визитную карточку отца. Карточка была элегантная, с красивой скромной надписью: «Юрий Денисович Шадрин».

— Откуда это?

— Какая разница? Звони.

— Но тут два номера!

— Верхний домашний, нижний сотовый. Ты звони, а я пока в спальне посижу.

— Нет, лучше я оттуда позвоню.

Я собралась с духом и позвонила.

Ответила женщина:

— Алло!

Хриплым от волнения голосом я попросила к телефону Юрия Денисовича.

— А кто его просит?

— Это... Это его дочь.

— Какая дочь? — испуганно спросила женщина.

— Дина.

— Ой, правда? Дина, вы откуда звоните? А я жена Юры... вашего папы. Его сейчас нет... А вы где?

— В Москве.

— Да? Как хорошо! Вы где остановились?

— У друзей! — ляпнула я. Мне вдруг показалось, что не надо говорить, что я снимаю квартиру в родном городе, ей в этих словах может послышаться упрек... — А когда он будет?

— Он в Питере, вернется завтра утром. Вы оставьте ваш телефон, он вам обязательно позвонит.

— Хорошо, записывайте... А бабушка? Как бабушка?

— Вера Николаевна на даче...

— В Пахре?

— Ну да... Ах, кажется, это дача вашего детства,

да? — В голосе мачехи прозвучала настороженность. Не собираюсь ли я претендовать на часть дачи или еще что-то в этом роде.

— Это было так давно. Простите, а как вас зовут?

— Ох, я не представилась... Меня зовут Арина. Я уверена, Юрий Денисович будет рад... очень рад! — уверенности в голосе я не услышала. — А вы надолго в Москву?

— Да нет, на несколько дней.

Кажется, она вздохнула с облегчением.

— Тогда до встречи, Дина. Очень хочу с вами познакомиться. Вы знаете, что у вас есть брат Денис?

— Да, я слышала. Хочется взглянуть на него. Ну что ж, Арина, будьте здоровы, — и я положила трубку. — Мура!

— Ну что? — примчалась она.

Я в двух словах передала ей весь разговор.

— А мобильник у него наверняка с собой. Кстати, она тебе не посоветовала позвонить на мобильник?

— Нет.

— Ага, сначала она хочет сама перетереть все с Юрой.

— Перетереть? — удивилась я.

— Это значит обсудить, обговорить, — засмеялась Мура. — Муж детективы пишет, уголовный жаргон вместе изучаем, а это заразно. Может, все же позвонишь на мобильный?

— Нет. Пусть она ему завтра скажет все или даже сейчас ему позвонит... Ему тоже надо собраться с мыслями и чувствами... Время еще есть. Вот если завтра в течение дня он не позвонит, я просто поставлю для себя жирную точку в этой истории.

– Ну, может, ты и права...

Я приняла душ, переоделась, и мы с Мурой отправились гулять по Москве.

– Ну как тебе, а?

Было ясно, что Мура гордится новой Москвой, а я не понимала своих чувств... Мне было странно. Кое-где ничего нельзя было узнать. Одно я успела заметить: москвичи очень хорошо одеты. И появилась масса красивых женщин.

– Мура, какой тут у вас есть хороший ресторан? Пойдем пообедаем? И позвоним Васе, пусть присоединяется. Я вас приглашаю!

– Да? Отличная идея, я сейчас ему позвоню... Алло! Вася, тут у Дины возникла... Что? Господи, когда? С ума сойти! Ну разумеется, как я могу не поехать? Когда? Уже заказал? А Майка? Тоже поедет? Ну что ж, ладно, тогда заезжай за мной. Нет, я сейчас на Поварской, недалеко от Гнесинки. Ладно, договорились. Динка, какая невезуха! Умерла Васина сестра в Екатеринбурге.

– Екатеринбург это что?

– А, Свердловск. И мы сегодня же вылетаем, вечерним рейсом. Я ее мало знала, но просто боюсь отпускать Васю, все-таки уже не молоденький... Но мы дня на три, не больше... Идем, Вася сейчас подъедет на Кудринскую, надо еще смотаться на дачу, там у меня вещи... И вообще, когда надолго уезжаешь, надо все проверить. Ох, знала бы ты, как мне неохота с тобой расставаться! Но ничего, у тебя тут уже есть таинственный поклонник, и завтра Юра позвонит... — тараторила Мура, крепко держа меня под руку. — А вот Майка обожала тетку, она у нее три лета в деревне на Урале жила... Мы с Васей тогда только начинали писать детективы...

— Вы? — удивилась я.

— А ты как думала? Я все-таки профессиональный редактор. Вася пишет, я поправляю, советую, редактирую... Все переговоры денежные веду, он в договорах плохо разбирается, его в два счета облапошит любой издатель. А ты ничего ведь не читала, наверное?

— Обязательно прочту! Я видела на углу Сретенки рекламу нового книжного, сегодня же зайду и куплю!

— Ну вот еще, что ж, мы тебе не подарим?

— Я одну куплю, а другую вы подарите.

— Если тебе понравится, мы все тебе подарим! — воодушевилась Мура. — Лучше всего начинать с «Мухи в янтаре»! Если в магазине будет несколько книг, бери «Муху», не ошибешься!

Мы дошли по Поварской, одной из самых моих любимых улиц в Москве, до Кудринской площади. Раньше это была улица Воровского и площадь Восстания. Я любила эту улицу, кроме всего прочего потому, что в том вот угловом доме жил Андрей Георгиевич, Андрюша.

— Ох, Мура! Ты помнишь, что тут было? — воскликнула я.

На месте старой развалюшки, где было знаменитое на всю Москву кафе, теперь стоял красивый желто-белый дом — культурный центр имени Чайковского. Он был сделан под старину, и, на мой взгляд, удивительно удачно. То старое кафе было знаменито лишь тем, что на вечно грязном окне белой масляной краской была сделана рекламная надпись «Кофе. Чай. Пирожные. Ром.бабы». За точность всей надписи не ручаюсь, но «Ром.бабы» там были. Однако буквы были все одинаковые, а точка стерлась. И это было единственное в Москве заведение, где в открытую предлагались экзотические спиртные напитки и бабы! Впрочем, кафе — слишком громкое название для поганой забегаловки... А теперь — культурный центр!

— Андрея своего вспоминаешь? — сочувственно спросила Мура.

— Да нет, забегаловку...

— Какую забегаловку? — испуганно осведомилась Мура.

— Ту, что была на этом углу...

— Тебя Андрей туда водил?

— Боже упаси! Он водил меня рядом, в Дом литераторов... Кстати, я не посмотрела, там ресторан еще сохранился?

— Что ты, это один из самых шикарных ресторанов теперь, цены бешеные... А раньше там можно было вдвоем прекрасно пообедать, выпить бутылку водки, дать на чай и на все хватало десятки...

— Вот когда вы вернетесь из Свердловска, мы туда и сходим!

— С ума сошла!

— Ничего подобного! Помнишь, ты всегда говорила: однова живем!

— Как много ты помнишь про меня, Динка...

— Знаешь, это потому, что в детстве ты мне больше нравилась, чем мама.

— Почему?

— Ну, мама ведь сломалась, когда отец ушел... А ты была всегда такая веселая, бесшабашная, умела радоваться жизни... Мне это нравилось... Ты вечно рассказывала о своих неудачах на любовном фронте с юмором, а я своим детским умишком понимала, что это больше совместимо с жизнью, чем мамины греческие трагедии...

— Нет, это не греческие трагедии... Это типично русская покорность злой судьбе, извела меня кручина и все такое! Ой, вон Вася едет! Садись, довезем тебя до Сухаревки!

Вася был очень удручен смертью сестры и молчал всю недолгую дорогу.

...Вот и опять я осталась одна в родном городе. Интересно, позвонит сегодня рыжий? Зачем он мне, собственно, нужен? К тому же он, кажется, моложе меня. Нет, гораздо интереснее, позвонит ли отец? Вероятно, Арина уже сообщила ему о моем звонке. Теоретически он должен был бы сразу спросить у нее мои телефоны и немедля позвонить... Но я уже давно знаю, как теория расходится с практикой. Особенно в том, что касается чувств. Ну нет у него ко мне отцовской любви, я давно это поняла, тогда зачем все это? Он меня не любит, а разве я его люблю? Я любила его в детстве, восхищалась им, потом ненавидела... А что осталось от всех этих бурных чувств? Пустота? Если бы не Мура, я бы, наверное, все-таки не стала звонить.

Я спустилась в книжный магазин, открытый в новом Торговом центре на Сухаревке, бывшей Колхозной... У входа торговали цветами. Цветы были довольно убогие и безумно дорогие. Зато в книжном у меня зарябило в глазах. И первая книга, на которую упал взгляд, оказалась сочинением Троцкого. А неподалеку Солженицын, Бердяев, Оруэлл... Я прекрасно помню, как девочкой, дрожа от страха и азарта одновременно, относила кому-то книгу Оруэлла «1984 год»... Отец отозвал меня в сторону и очень серьезно сказал: «Динуша, вот эту книгу надо немедленно отвезти на Красноармейскую, дяде Леве! Я бы сам отвез, но сейчас нет времени совсем. Только ты будь очень внимательна и осторожна. Если вдруг что, говори: нашла...» Я уверяла его, что прекрасно все понимаю, никуда не буду заходить, спрячу книгу под учебники, более того, я сорвала обложку со старого учебника химии и вложила Оруэлла в нее. И когда я нарочито медленно, словно прогуливаясь, шла к метро, внутри у меня все трепыхалось от сознания важности своей миссии. Смешно вспомнить. Но сама я читать эти книги не любила. И слушать «вражеские голоса» тоже. Мне от всего этого делалось неуютно и страшно. Но когда мама умерла и я стала жить у отца, где постоянно толклись диссиденты, как я теперь понимаю, настоящими диссидентами были только двое из них, а остальные так, около, я втянулась... И бабка, и отец были, что называется, сочувствующими, они помогали деньгами тем, кто в этом нуждался, бабка один раз даже провезла на Запад микропленку с чьей-то рукописью... А теперь все эти книги стоят в открытой продаже, и тиражи у них совсем небольшие, на любителя, так сказать. А в нашей паучьей компании любили говорить, что в России, собственно, ничего не изменилось... Я здесь второй день, а изменений уйма... Правда, они из своей банки беспрерывно воспаряют, а я человек вполне приземленный.

Я купила Васину «Муху в янтаре», она была издана на редкость безвкусно, я вообще заметила, что массовая литература издается здесь в худших традициях американской книжной дешевки. Но, видимо, это неизбежный этап в развитии книготорговли. Я вышла на Сухаревку и остановилась в раздумье. Хотелось есть. Вокруг были какие-то заведения, но идти туда охоты не было, и я заглянула в магазин, который был здесь еще в старые времена. Теперь он стал почище, прилавки были полны. Однако ничего общего с вчерашним супермаркетом. Но тем не менее я купила все, что мне могло понадобиться, и побрела к себе в Луков переулок. И вдруг ощутила жуткое одиночество. Я вообще достаточно одинокий человек, и обычно это меня нисколько не тяготит, но тут, в родном городе... А впереди еще долгий вечер. Нет, не такой уж долгий, вчера я не спала ночь и если завалиться часов в десять, посмотреть телевизор... Ах, ведь еще собирается звонить рыжий... А ну его к черту, не хочу! Возьму и выключу мобильник. До утра. Если ему будет очень надо, дозвонится завтра или просто все поймет. А если вздумает позвонить папочка, у него есть домашний телефон. Так я и поступила. Перекусив, включила телевизор, надо же хоть немножко войти в жизнь своей родины... На одном канале шло немыслимое по пошлости ток-шоу, на другом довольно беспомощный и глупый сериал для подростков, на третьем два дядьки с постными рожами сокрушались по поводу плачевного состояния отечественного водоснабжения. На еще одном канале шел старый американский сериал с

Доном Джонсоном, кажется, тут телевидение такое же скучное, как и везде... Я нажала на следующую кнопку и увидела трех мужчин, они сидели за столиком и разговаривали. Вернее, двое из них расспрашивали третьего. Его лицо показалось мне знакомым... Боже мой, да это же Костя Иванишин! Тоська говорила, что он здесь знаменитость... Я впилась в экран.

Костя что-то рассказывал о своей роли в каком-то фильме. Надо же, как меняются люди. Хотя девчонки у нас в школе и тогда сохли по Косте Иванишину. А теперь это был роскошный мужчина, невероятно красивый, обаятельный и сексуальный. С ума сойти!

— Скажите, Костя, вот ваше имя означает постоянство, а говорят о вас как о человеке весьма непостоянном!

Костя обаятельно улыбнулся:

— Ну что вы, я очень постоянный! Я вот как в первом классе влюбился в девочку, так и люблю ее по сей день!

Один из ведущих сделал стойку, видимо, этот факт биографии от него ускользнул.

— Но вы не вместе?

— Нет, — рассмеялся Костя, — я не видел ее больше двадцати лет, кажется, она живет за границей.

— Это что, такое возвышенное чувство? — весьма иронически осведомился второй ведущий. — Или же ловкий трюк, придуманный, чтобы ускользнуть от прямых и не всегда приятных вопросов?

– И то и другое, – веселился Костя.

– А девочка о ваших чувствах знала?

– Конечно, но плевать на меня хотела.

– И у вас не было соблазна показаться ей в новом звездном качестве?

– Да нет, пусть идеал останется идеалом.

– А можно узнать, как звали ваш идеал?

– Ее звали Дина, – просто и с достоинством ответил Костя.

Я уже давно поняла, о ком он говорит... Однако это трогательно...

– Но у вас ведь есть сын...

– Да, и с его матерью у нас самые теплые, дружеские отношения.

В этот момент началась реклама.

Ну и дела, только включила телевизор, как сразу нарвалась на объяснение в любви. Между прочим, второе за два дня! Забавно! Но Костя и вправду хорош... Интересно, он придет на встречу одноклассников? Если да, то нужно не ударить лицом в грязь... А зря он сказал про меня, наверняка многие девчонки будут косо смотреть... Хотя какие девчонки? Более чем взрослые, обремененные семьями и заботами, не первой молодости тетки... Они небось и не помнят свою детскую влюбленность в Костю Иванишина. А теперь, как уверяет Тоська, в него влюблено полстраны... А он на всю страну сказал про меня. Чему ты радуешься, глупая голова? Мало ли что он сболтнул... А все равно приятно. В этот момент зазвонил телефон.

— Подруга, как ты там? Почему сотовый не включен? — узнала я голос Додика. — Я уж стал беспокоиться.

— Привет, как там мои звери?

— Нет, это надо же, не спросила даже из вежливости, каково мне тут с твоим зверьем, а сразу, как им со мной? Плохо им! Я их бью, морю голодом, запираю в гараже, привязываю к хвостам консервные банки, ну как там еще мучают зверей нехорошие мальчишки?

— Додик, ты дурак! — с нежностью сказала я.

— Люблю, когда режут правду-матку. Но скажи лучше, что ты успела в Москве?

— Побывала у тетушки, говорила с очередной мачехой и выслушала два объяснения в любви. Помоему, за два дня не так уж мало.

— Погоди-погоди, кто это тебе в любви объяснился?

— Это долго рассказывать.

— Как интересно! Я умру от ревности... Впрочем, если за два дня объяснились двое, по одному на день, за две недели их может набраться еще дюжина, так что я могу быть спокойным.

— Конечно, и вообще я это в голову не беру!

— Ну еще бы! Ты серьезная женщина, преподаватель...

— Да, еще у меня обнаружилась двоюродная сестра и единокровный брат, но его я еще не видела.

— Ты, я вижу, времени даром не теряешь!

— Да, я такая...

— Дорвалась до родной стихии и пошла вразнос... Ну-ну, развлекайся, тебе давно пора сойти с нарезки! А звери твои в порядке, только Кукс в меланхолии, но это обычное дело.

Я заметила, что реклама кончилась.

— Додинька, милый, прости, я должна бежать, меня ждут!

— Кто тебя ждет?

— Одноклассница! Целую, пока!

На экране опять был Костя. Ведущие спрашивали его, почему он не вступил в партию «Единая Россия»? По их тону можно было понять, что вступать в эту партию не следует...

— Я не хочу вступать ни в какую партию! Я глубоко аполитичный человек!

— Но многие ваши коллеги вступили...

— Это их сугубо личное дело! — сухо ответил Костя. — И, если можно, не спрашивайте меня, верю ли я в Бога.

— А вы верите в Бога?

Костя закатил глаза и развел руками.

— Что значит ваш жест? — не отставал ведущий.

— Понимайте как хотите! — засмеялся Костя.

— О, к нам в прямой эфир дозвонилась зрительница. Слушаем вас, говорите!

— Добрый вечер, уважаемые ведущие, добрый вечер, Костя! Это говорит Лида Сомова, помнишь меня?

— О, конечно, помню, Лидочка, рад тебя слышать!

— Я звоню из Волгограда. Костя ты не знаешь, как сложилась судьба Толи Говоркова?

— Лидочка, позвони мне, телефон тебе дадут редакторы, и я все расскажу!

— Спасибо, Костя, я рада, что у тебя все хорошо сложилось!

Ни Лиды, ни Толи Говоркова я не знала. Вероятно, это его соученики по театральному училищу. А вот если бы я туда дозвонилась, это был бы эффект! Но в кадре то и дело появлялась надпись: «Вы смотрите повтор программы от 15 февраля»! А тут и передача закончилась.

Ничего не скажешь, удачно я включила телевизор! А Костя и вправду хорош. Темные волосы, светлые глаза... Кажется, они у него зеленые, в телевизоре не разглядишь, нос с легкой горбинкой и совершенно обольстительный рот, красивые сильные руки.

Я вдруг расхохоталась... если бы вчера еще мне кто-то сказал, что я буду размышлять о глазах и руках Кости Иванишина, я бы ни за что не поверила. Но чего в жизни не бывает. Однако неужели он действительно меня помнит, помнит свои чувства ко мне? Странно... Вероятно, я единственная не ответила на его чувства, и это задело его раз и навсегда? Похоже на то. А значит, и дальше надо держаться от него на расстоянии... А мне не все равно? Да ерунда все это, просто удобная отговорка для мужика, на которого все кидаются: я люблю некую Дину и отвяжись вы все. Мое сердце занято. Романтические идиотки еще пуще влюбляются в него, так что это и щит и приманка одновременно. По нему видно, что он сам ни одной юбки не пропустит... Как говорила когда-то Маруся, домработница Бахов: «Мне оно надо?»

## Глава пятая
## ЗДРАВСТВУЙ, ДИНЬ-ДИНЬ

Однако настроение резко поднялось, и я решила все-таки включить мобильник. И минут через пять он зазвонил. Ага, это опять рыжий!

— Алло!

— Дина, это Сергей!

— Добрый вечер!

— Какие планы на сегодня?

— Пока никаких.

— Может, увидимся?

Я замялась.

— Только не говорите, что не встречаетесь с незнакомыми мужчинами, что ничего обо мне не знаете. Я вам сейчас для знакомства все в двух словах расскажу, и это уже не сможет служить причиной отказа. Мне сорок три, в прошлом я военный моряк, сейчас занимаюсь программированием, у меня своя фирма, разведен, детей нет, в телохранители к Барсику попал благодаря родственным связям, его хозяйка — моя двоюродная сестра. Ну что еще? Ах да, самое главное — всю жизнь мечтал встретить такую женщину, как вы... Вот, пожалуй, и все!

Я засмеялась:

— Исчерпывающая справка! И изложено все с военно-морской точностью!

— Жажду узнать все о вас! Но не по телефону!

— Хорошо, что вы предлагаете?

— Предлагаю... пойти поужинать, хоть и понимаю, что это жутко банально. Вы голодная?

— Что?

— Ну вы сейчас умираете с голоду?

— Да нет, я недавно перекусила, а в чем дело-то?

— Вы ведь иностранка, да? Давно в Москве не были? Предлагаю для начала прокатиться на речном трамвайчике, поговорить, познакомиться, а уж потом где-нибудь приземлиться и поесть.

— А что? Я с удовольствием, сейчас ведь поздно темнеет... Мне ваша идея нравится!

— Вы где находитесь?

— В Луковом переулке.

— Это, кажется, на Сретенке? Тогда буду у вас через тридцать минут. Объясните, как вас найти.

— Не надо меня искать! Через полчаса я выйду на Колхозную, то есть на Сухаревку.

— Не хотите, чтобы я знал, где вы обитаете? Уверяю вас, если мне приспичит, я вас найду и под землей, предупреждаю сразу!

— Звучит угрожающе!

– Но в данный момент я не стану спорить, на Сухаревке так на Сухаревке! Вы из тех женщин, что всегда опаздывают? Тогда даю вам еще десять минут на сборы! Итак, через сорок минут! До встречи, Дина!

Ну и напор у этого бывшего моряка! Но я начала лихорадочно перетряхивать свой не слишком богатый гардероб. Я давно уже езжу с небольшим количеством вещей, а в Москву взяла с собой вдвое больше, чем обычно, и все-таки в какой-то момент мне показалось, что надеть мне совершенно нечего. Со мной давно уж такого не бывало. Как правило, я точно знаю, что надеть. Вечер довольно прохладный, и если кататься по реке, можно замерзнуть. Я надела брючный костюм в мелкую клетку и взяла с собой черную шаль, купленную в Мексике. Я очень ее люблю, она легкая, теплая, немнущаяся. А Додик, когда я ее надеваю, обязательно поет: «Гляжу как безумный на черную шаль, и хладную душу терзает печаль!» И добавляет: «Черт бы ее побрал».

Идя до Сухаревки, я думала: как давно я не ходила на свидания, собственно, с тех пор, как вышла замуж за Питера... А он умер уже пять лет назад. Не скажу, чтобы эти пять лет я жила монахиней, но както так складывалось, что на свидания ходить не приходилось. И даже вспоминать об этих «сексуальных контактах», как называет подобные отношения Додик, не хотелось никогда. Ведь не вспоминаем же мы о медицинских процедурах, которым иной раз приходится подвергаться. А уж если учесть, что действие происходит в родном городе, то ценность такого свидания возрастает вдвое, к тому же он хоть и бывший, но моряк, а это рождает в душе какие-то романтические завихрения... Черт знает что за мысли лезут в голову... какие-то забытые, я бы даже сказала, рудиментарные...

Рыжий стоял возле черного «сааба» и держал в руках букетик ландышей.

— Привет! — сказал он. — Я подумал, что розы в такой ситуации не слишком уместны, а вовсе без цветов прийти на свидание к такой женщине неприлично.

— Спасибо! Ох, какой запах...

— Поехали?

— Да! Куда едем?

— Думаю, сядем у Киевского вокзала и доплывем до гостиницы «Россия», а там поглядим.

— А ваша машина?

— У меня там водитель, он ее перегонит куда скажем.

— О, как все продумано!

Действительно, за рулем сидел немолодой, солидного вида водитель.

Мы вдвоем сели сзади, и сразу возникла какая-то неловкость. Чтобы ее разрядить, я спросила:

— А как поживает Барсик?

— Да вроде нормально. Стал есть. На забор не кидается. Сегодня утром даже поймал крота. А вы умеете обращаться с кошками...

— У меня дома два кота, и один вечно лазает на деревья, а спуститься не может. Вот я и наловчилась...

Он как-то смущенно рассмеялся. И куда девался его напор? Или он водителя стесняется? Тогда какого черта он с ним затеялся, проще было взять такси. И я стала смотреть в окно...

— Вы давно не были в Москве? — выдавил он с трудом.

— Очень.

— Ну и как?

— Хорошо! Особенно вот эта реклама! — расхохоталась я. Впереди был виден большой щит с яркой надписью: «Отдайся Шоппингу!»

— Ну и что вас так насмешило? — недоуменно спросил он. — По всей Москве эта реклама...

— Да вы посмотрите, там же два «п» и шопинг с большой буквы, как будто приглашают всех отдаться какому-то господину Шоппингу!

— Вам смешно?

— А вам нет?

— Не знаю, надо бы сперва внимательно посмотреть, там внизу что-то еще написано, может, и впрямь существует какой-то Шоппинг с большой буквы и с двумя «п».

– Ну тогда уж это совсем глупо... Почему я должна отдаться какому-то Шоппингу?

– А если с маленькой буквы и с одним «п», вы готовы ему отдаться?

– Если с маленькой и с одним «п», готова, более того, время от времени я ему отдаюсь... Тьфу, что за ерунду мы городим.

– Это вы затеяли разговор...

– Прошу прощения, не думала, что мое замечание заведет нас в такие дебри.

И в этот момент вдруг полил дождь. Да какой! Сразу стало темно, по ветровому стеклу текли потоки воды.

– Сережа, что делать-то будешь? – обернулся водитель. – Куда в такую дождину по реке плавать! Я тебе говорил, у меня нога ноет, к дождю!

– Дина, наши планы под угрозой срыва! Есть предложение сменить курс и поужинать у тети Тамары.

– Кто такая тетя Тамара? – испугалась я. Мне совсем не хотелось ехать к какой-то тете.

– Да это ресторан, грузинская кухня, называется «У тети Тамары». Там тепло и сухо. А по реке покатаемся в другой раз, когда будет солнышко...

– Ну что ж делать, погода и впрямь не для речных прогулок.

– Слыхал, Егорыч? К «тете Тамаре»! – Рыжий вдруг развеселился и приободрился. Как вести себя со мной в ресторане, он, видимо, понимал.

...Ресторан в одном из арбатских переулков оказался очень красивым и уютным, и народу там было много, но столик для нас все-таки нашелся, по-видимому, Рыжий был тут завсегдатаем.

– Предупреждаю, обслуживание здесь далеко не европейское, так, грузинский духан, но кухня выше всяких похвал. Кстати, очень модное место в Москве.

– Ничего, я по миру поездила, видала всякое. Знали бы вы, как обслуживают в мексиканской глубинке...

К нам подошла немолодая толстая женщина довольно добродушного вида.

– Привет, тетя Нино!

– Здравствуй, дарагой. Что кушать будешь?

– Тетя Нино, дайте нам меню, пусть дама сама выберет.

– Харашо, дарагой!

Она ушла и минут через пять вернулась с меню.

– А вы говорите, тут неважно обслуживают! Каждому дают меню. Когда-то в Москве об этом только ходили слухи.

Названия в меню были по большей части незнакомые, кроме лобио, сациви и хачапури.

– Сережа, я не ориентируюсь, помогите! Сациви я точно не хочу, а в остальном полагаюсь на вас.

– Отлично! Что будем пить? Тут изумительное вино. Настоящее! Хотите киндзмараули?

– Хочу! Хоть и не помню, что это за вино.

Он улыбнулся:

— А сациви вы не любите?

— Нет!

Дело в том, что сациви частенько готовила одна из паучих, та самая, что выпила у меня больше всего крови, хоть пауки и не кровососущие.

Он долго перечислял тете Нино названия, звучавшие более чем экзотично.

— Вы столько всего заказали!

— Да ерунда, съедим, тут так вкусно, и потом, я заказал всего понемножку. А что вы делали в мексиканской глубинке?

— Ездила в экспедицию.

— В экспедицию? А вы кто же по профессии?

— Археолог.

— Боже мой, никогда бы не подумал! Как интересно! И что вы там нашли?

— Да так, по мелочи...

Терпеть не могу говорить на профессиональные темы с людьми, которые в археологии ни ухом ни рылом. Всех почему-то интересует в первую очередь, сколько золота мы нашли.

— А что искали? Золото инков?

Начинается!

— Нет, инки — это Перу, — довольно сухо объяснила я.

— Ах да, тогда, наверное, сокровища майя?

— Сережа, скажите, а когда на судах бьют склянки, то какие именно? Банки или бутылки?

— Дина, я вас обожаю! Как вы меня отбрили! Не

лезь, рыжий, с суконным рылом в калашный ряд! Можно я вас поцелую?

И, не дожидаясь ответа, он привстал и поцеловал меня в щеку. Должна сказать, мне сразу захотелось, чтобы он на этом не останавливался.

Его синие глаза сверкали весельем.

— Господи, неужели мои вопросы были такие же идиотские?

— Чуть менее идиотские, — успокоила я его.

Но тут принесли вино и хачапури.

— Ешьте, пока горячие! — посоветовал он.

Это было так вкусно, что я даже испугалась.

— Здесь все так готовят? Тогда я умру от обжорства!

— Дина, вы замужем?

— А вы что, собираетесь сделать мне предложение? — полюбопытствовала я.

— Давайте завтра утром обвенчаемся!

— Даже так?

— Да! Я в вас... с первого взгляда... и чем дальше, тем больше... Но вы наверняка замужем.

— Да нет, я свободна! — Мне было интересно, как далеко он зайдет.

— Совсем свободны?

— Как ветер!

— И согласны выйти за меня?

— Да боже упаси! Я же вас не знаю! Вы, можно сказать, первый встречный, а я за первого встречного...

— Понятно! Вы надолго в Москву?

— На две недели, но два дня уже долой!

— Ничего, за двенадцать дней мы успеем достаточно познакомиться. Но разве вам не кажется, что именно так и нужно — с первого взгляда, очертя голову!

— Может быть... А если у нас несовместимость?

— Так надо попробовать...

— Я имела в виду несовместимость характеров.

— А я покладистый парень, приспособлюсь!

Он мне нравится, он мне жутко нравится. Может, и вправду надо так, очертя голову...

— А первый раз вы тоже так, очертя голову, женились?

— Нет. И ничего не вышло...

— Она вас не дождалась на берегу?

— Что-то в этом роде... Но это было давно.

— Что ж вы больше не женились?

— Не хотел. Да и некогда было, пришлось менять профессию, вставать на ноги...

— Встали?

— Да! Недавно купил прекрасную квартиру, там сейчас ремонт, вот и попал в охранники к Барсику, живу временно у сестры на даче. Так что будет куда привести молодую жену.

— Если речь обо мне, то уже не молодую. Я всего на год моложе вас.

— Да какое значение имеет возраст, когда женщина такая... Дина, давайте и вправду поженимся...

— Но я живу в другой стране!

— Ну и что? Знаете, сколько сейчас браков, когда люди живут врозь? В каком-то смысле это даже лучше... Нет общего быта, о который разбиваются любовные лодки...

— О!

— А вы думали, я стихов не знаю? Могу всю ночь наизусть шпарить...

— Верю! — засмеялась я.

— Ну так что? Имейте в виду, я не отступлюсь. Давайте попробуем!

— Что?

— Жить как муж и жена...

— В разных странах?

— Да! Я буду приезжать к вам, вы ко мне, будем вместе отдыхать... Знаете, как здорово нам будет, и мы не осточертеем друг другу...

И вдруг шальная мысль залетела в голову: а может, и вправду попробовать. Чем черт не шутит?

— Не хотите венчаться, ладно, пока не будем! И регистрироваться не обязательно, просто устроим свадьбу!

— А это зачем? — засмеялась я.

— А чтобы люди знали — мы муж и жена! Как говорили раньше — перед Богом и людьми, а церковь и государство, в конце концов, перетопчутся. Их это не касается, правда?

— А знакомых касается?

— Не хотите свадьбу, черт с ней, не надо! Давай просто поедем куда-нибудь на недельку и попробуем, как нам будет вместе...

— Последнее предложение наиболее реальное из всех. Поехать куда-то на недельку...

— Нет, ты неправильно поняла! — выкрикнул он. — Я готов хоть сию минуту сочетаться законным браком, но ты...

— Мы разве пили на брудершафт? — не удержалась я.

— К чертям собачьим! Ты моя невеста, и за это надо выпить! И не думай, теперь не отвертишься! Я тебя дожму! Говори, куда ты хочешь поехать?

У меня в сумке запел мобильник.

— К черту! — пылко воскликнул Рыжий. — Не отвечай!

— Исключено! — сухо ответила я. Он уже начинает командовать!

— Динь-Динь, это ты? — осторожно спросил отец. Я почти забыла свое детское прозвище — Динь-Динь...

— Да, папа, здравствуй!

При слове «папа» Рыжий облегченно выдохнул.

— Девочка моя, как я рад тебя слышать, когда Ариша мне сообщила о твоем звонке, я сперва даже не поверил... Ты действительно в Москве? Надолго? Где ты остановилась? Бабушка будет счастлива! Ты умница. Тогда все получилось так глупо, ты должна понять и простить, впрочем, ты, вероятно, поняла и простила, да?

— Папа, я сейчас не дома и не одна, давай поговорим при встрече.

— Ты там с мужчиной, наверное? Ничего, к отцу ревновать глупо и грешно! Я утром буду в Москве, выеду сегодня «Стрелой», и мы увидимся! Ты в курсе, что у тебя есть брат?

— Разумеется, мне сказала Мура.

— Ты у нее остановилась?

— Нет, нет.

— Динь-Динь, знаешь, я всегда верил, что в один прекрасный день все у нас образуется... и мы поймем друг друга... Вот ты и созрела.

— Да, наверное.

— Хоть в двух словах скажи, как твои дела?

— Сейчас все хорошо, папа.

— Я просто не могу дождаться... А может, ты встретишь меня на вокзале? Хотя нет, я в поезде не засну, я и так не помолодел, а после бессонной ночи и вовсе! Нет, лучше сделаем так — ты приедешь к нам обедать, а после обеда решим, может, прямо сразу махнем на дачу, к бабушке!

— Давай завтра созвонимся, когда ты приедешь.

— Никаких созвонов! В два часа ждем тебя! Познакомишься с Аришей!

— Она, наверное, мне в дочери годится? — не удержалась я.

— Узнаю тебя, Динь-Динь! Но нет, она всего на десять лет моложе. Ну все, девочка, до встречи! Целую тебя и дрожу от нетерпения!

...– Ты почему так побледнела? – озабоченно осведомился «жених».

– Это долго объяснять.

– И все-таки... У тебя сложные отношения с отцом?

– Да, – коротко ответила я, чтобы не пускаться в объяснения.

– Ты не хочешь об этом говорить с первым встречным? – Могу поклясться, что в его голосе прозвучала искренняя боль.

– Дело не в этом. Как раз с первым встречным можно говорить о чем угодно, поговорили-разошлись. А тут, боюсь, так не получится. Отложим пока...

Он просиял.

В голове и в душе был полный сумбур. С одной стороны, я все-таки обрадовалась звонку отца, его, как мне показалось, искренней реакции, но, с другой стороны, этот звонок сбил то волнующее романтическое настроение, в которое меня привели бурные объяснения этого рыжего... Хорошо бы отрешиться сейчас, пока, от мыслей о завтрашней встрече. Как говорит Додик: «Зачем взбивать коктейль чувств?» Действительно, лучше не взбивать, но он взбился помимо моей воли, а, как известно, коктейль уже не разделить на составляющие его ингредиенты...

– Динь-Динь... Надо же... – тихо проговорила я.

– Что?

– Отец в детстве звал меня Динь-Динь... Кажется, это откуда-то из классики, я не помню.

— Динь-Динь? Ох, как мне нравится! Можно я тоже буду так тебя звать?

Он, по-видимому, уже безвозвратно перешел со мной на «ты»...

— Зови, если нравится.

— Ах, как хорошо — Динь-Динь. Как зовут вашу жену? Ее зовут Динь-Динь... Как «колокольчик фарфоровый в желтом Китае».

— Что?

— Это Гумилев... — почему-то покраснел он. — Вы любите Гумилева? То есть ты любишь Гумилева?

— Люблю, но этих стихов не помню. В моей московской юности Гумилева не издавали, а у бабушки был только один маленький сборничек, еще дореволюционный, да и то без обложки. А потом мне было как-то не до стихов... А когда стихи понадобились, до Гумилева руки не дошли...

— Я тебе подарю Гумилева.

— А скажи, откуда у военного моряка и предпринимателя такая любовь к поэзии?

— Мама преподавала русский и литературу. Понастоящему, не ради галочки... И меня пыталась приобщить... Но я предпочитал гонять в футбол, строить модели кораблей, словом, мне было не до стихов. А в восьмом классе я смертельно влюбился, и к тому же без взаимности, страдал ужасно, теперь даже вспомнить стыдно...

— Страдать от любви разве стыдно?

— В принципе нет, я и сейчас страдаю! От любви к тебе!

— А что же со стихами?

— Мама, видя такие мои страдания, подсунула мне томик Гумилева, это было то, что надо! Экзотика, путешествия, любовь...

— Но почему же ты выбрал военную стезю?

— Море! Я мечтал о море! А мама погибла, попала под машину, отца я не знал, а мамин брат, он военный моряк...

— Понятно... Моя мама тоже совсем рано умерла.

Он взял мою руку и стал целовать... И был такой милый, близкий и понятный в этот момент.

— Динь-Динь...

— Что?

— Динь-Динь, знаешь, я, когда тебя увидел там, в саду, я сразу расчухал, что ты — мой идеал, а сейчас понял, что всегда мечтал, чтобы мою женщину звали Динь-Динь!

— А меня в детстве это прозвище раздражало.

— Почему?

— Сама не знаю. А как тебя звали в детстве?

— Рыжий, Серый, ничего интересного.

— Серый мне не нравится, а вот Рыжий... можно я буду звать тебя Рыжий?

— Конечно!

— Рыжий, налей мне еще вина!

— Сию минуту, Динь-Динь!

— Рыжий, мне хорошо сейчас! Ты мне нравишься, Рыжий! Знаешь, мне завтра предстоит встреча с отцом, я его не видела десять лет, у него за эти годы появился сын, а есть еще дочь, которую я тоже никогда не видела, а еще бабка, с которой я не встречалась и вовсе больше двадцати лет, и я не знаю, как это все будет... Но почему-то совсем не волнуюсь, это из-за тебя, Рыжий! — У меня слегка заплетался язык, слишком много выпила этого бархатного вина.

— Я люблю тебя, Динь-Динь!

— Рыжий, Рыжий, конопатый, убил дедушку лопатой!

— Только не зови меня Чубайсом! — засмеялся он.

— Чубайсом? Кто такой Чубайс?

— Динь-Динь, какое счастье встретить женщину, которая просто не знает, кто такой Чубайс!

— Так кто же все-таки такой этот Чубайс?

— Один очень умный рыжий олигарх, в честь которого, как предсказал какой-то наш сатирик, будут называть всех рыжих котов. И еще про него говорят: «Во всем виноват Чубайс».

— А у меня рыжий кот Мойша. А еще есть Кукс! Он очень обидчивый... И еще дворняга Тузик... И Додик, а больше у меня там никого нет, все остались здесь... А теперь вот еще и ты завелся...

— Погоди, насчет Тузика я все вроде бы понял, он дворняга, а Додик, он какой породы?

— Додик? Он еврейской породы. Он мой лучший друг, он меня из тюрьмы ждал...

— Из какой тюрьмы? — ахнул Рыжий. — Ты сидела в тюрьме?

— Ага!

— За что?

— За хулиганство!

— Во дает! И долго ты сидела?

— Три дня! Ну что ты смеешься?

— Я буду всем рассказывать, что женюсь на недавно вышедшей из тюрьмы хулиганке и у нее кликуха Динь-Динь... Класс! И ни одной собаке не придет в голову, что это ученая дама, иностранка, археолог, преподаватель... Кайф! Хотелось бы только уточнить кое-что относительно Додика еврейской породы... Какая у него роль?

— Друг!

— И только?

— И только! А ты что, ревнуешь, Рыжий?

— Еще как ревную! Я вообще ревнивый, имей в виду...

— Скажи мне, Рыжий, а у тебя что, совсем никакой женщины нет?

Он замялся.

— Ага, значит, есть...

— Но я же не знал, что тебя встречу.

— Она тебя любит?

— Ну, я не знаю...

— Вы живете вместе?

– Нет! Она живет со своей мамой.

– И вероятно, ждет, что ты приведешь ее в свою новую квартиру?

– Я никогда ей ничего не обещал.

– Она красивая?

– Это имеет значение?

– Значит, красивая... А сколько ей лет?

– Двадцать шесть.

– Ого! – Внезапно я ощутила страшную усталость, как будто бегом взбежала на высоченную гору, а там ко всему еще разреженный воздух... – Я устала, Рыжий, и хочу домой.

– Динь-Динь!

– Правда, Рыжий, у меня что-то кончился завод... Слишком много всего на меня свалилось за два дня...

Он внимательно посмотрел на меня и кивнул. Но вид у него был разочарованный. На мгновение мне стало его жалко, а потом я подумала: ничего, поедет к своей девушке и хорошо ее трахнет, воображая, что это я... Почему-то я была уверена, что трахается он прекрасно. Ну и на здоровье, у меня уже ни на что нет сил, мне все-таки сорок два, а не двадцать шесть...

## Глава шестая
## РОДСТВЕННИКИ

Когда я проснулась, на часах была половина двенадцатого. Ничего себе! Я спала как убитая, ничего не чувствуя, как под наркозом... Слишком много событий и волнений обрушилось на мою несчастную голову, а тут еще Рыжий со своей любовью... Хорошо все-таки, что удалось отправить его домой несолоно хлебавши. Вчера на какие-то мгновения мне показалось, что я влюбилась, но, узнав, сколько лет его женщине, сразу протрезвела. Зачем мне это? Мучиться постоянно из-за своего возраста? Инстинкт подсказывал мне, что легким романчиком тут не отделаешься, тогда зачем? Не до того сейчас. И я, не вставая с постели, позвонила Тосе Бах, чтобы окончательно переключиться на другую волну, забыть о Рыжем и не думать о предстоящем визите к отцу.

— Динка! — закричала Тося. — Ты когда приезжаешь?

— Уже!

— Что уже?

— Приехала!

— Как приехала? Когда?

— Вчера, — соврала я, чтобы не обидеть старую подругу. — Просто не хотела никого обременять.

— Где ты остановилась?

— Сняла квартиру на Сретенке.

— На Сретенке? Как здорово, это же совсем рядом со мной! Слушай, я сейчас должна бежать, давай вечером встретимся, приходи ко мне!

— Не уверена, что получится. В два часа я встречаюсь с отцом, и он хочет, чтобы я поехала на дачу, к бабке...

— Да, подружка, программа мощная, не вклинишься... Слушай, тут такое дело! Ладно, это при встрече. Ты только завтрашний вечер не занимай, договорились?

— А что завтра вечером?

— Все при встрече! Если вдруг сегодня планы переменятся, звони сразу. Все мои телефоны у тебя есть. Мобильник при тебе?

— Конечно. Ох, Тоська, я бы скорее предпочла с тобой встретиться, чем с отцом...

— Да ну, сходи, повидайся, выполни дочерний долг, а там будет видно, по крайней мере, совесть будет чиста. Все, целую! Пока! Ой, самое главное, встреча седьмого в школе в девятнадцать ноль-ноль!

— Да я уже знаю, ты давно сообщила...

— Прости, это я от радости, что тебя наконец увижу, падлу!

...– Динь-Динь! Боже, какая ты стала! – Он заключил меня в объятия. – Дай я на тебя посмотрю! Ну, тебе не дашь твоих лет, ты замечательно нашла свой стиль, прежде тебе этого не хватало! Ариша, Ариша, иди скорее сюда!

Отец был все таким же – высоким, стройным, громогласным, красивым, только волосы совсем поседели, да морщин прибавилось, но ему и это шло...

Появилась Ариша, которая рядом с ним выглядела совсем молоденькой. Нежное, хрупкое создание с большими синими глазами и копной вьющихся русых волос.

– Очень, очень рада познакомиться! – протянула она мне руку.

– Смотри, Динь-Динь, это твоя мачеха! – счастливо засмеялся отец.

– Юра, что за глупости! – нахмурилась Ариша.

– Нет, ну по существу ты ведь мачеха! Очень злая мачеха, а ты, Динь-Динь, бедная, несчастная падчерица...

– Юра!

– Ну все, все, не буду больше...

Я поняла – всю эту ахинею он несет потому, что совершенно не знает, как себя вести, что говорить в такой ситуации.

– Дина, извините, Юра пригласил вас к обеду, но у меня еще не все готово, вы посидите пока с... папой, а я вас позову. Юра, покажи Дине квартиру.

— Да-да, разумеется! — обрадовался он. — Пошли, похвастаюсь, мы всего год как переехали.

Квартира была огромная, очень красивая, по-видимому, он вполне хорошо устроен, мой папа. Это меня обрадовало. Хоть я и не сомневаюсь в нем. Он все-таки очень талантливый художник.

— Знаешь, я теперь занимаюсь исключительно дизайном и на этом поприще снискал... так сказать... Кстати, Динь-Динь, если тебе нужны деньги... — он покраснел, — ты не стесняйся, скажи...

— Да нет, спасибо, у меня все есть... А где твоя мастерская?

— Представь себе, все там же, на Масловке, но сейчас там, кажется, собираются все сносить, наш брат художник артачится, но боюсь, это бесполезно. Но я теперь редко работаю там, иногда, для души, так сказать... Да и вообще, мастерскую лучше иметь подальше от дома... — Он как-то игриво мне подмигнул.

— Господи, ты еще не угомонился? Бегаешь на сторону?

— Ну не то чтобы, но чего в жизни не случается!

— Ты грандиозный тип! — засмеялась я. — А как же Ариша?

— О, Ариша — святое, а это так, мелкие шалости стареющего организма, не более того... Для бодрости духа, так сказать! Но к черту это все, расскажи о себе. Как твоя археология?

— Нормально.

Возникла довольно тягостная пауза.

— А как бабушка?

— Ну, для своего возраста просто невероятно! Ей ведь восемьдесят восемь, месяц назад закончила книгу о Малере, сама переводит ее на немецкий, поскольку издатель нашелся в Германии, следит за собой, машину водит, словом, у тебя роскошные гены.

— Кто знает, может, маминых генов во мне больше...

— Прости, прости!

— А как бабушка с Ариной?

— Сказать по правде — не очень. Ее немного примирило с ней то, что сына назвали в честь папы Денисом. В нем она души не чает.

— Но у меня же есть еще сестра...

— Да, Нелли красавица, умница, прекрасно учится, но мы крайне редко видимся. Динь-Динь, как же хорошо, что ты объявилась... — Похоже, говорить о дочери ему не хотелось. — Ну расскажи о себе, как, что, где...

— Да я не знаю, что, собственно, рассказывать...

— У меня есть внуки?

— Увы! Или, наоборот, к счастью?

— Жаль...

— Зачем тебе внуки, у тебя вон сын маленький, и, может, не последний еще...

— Одно другому не мешает. У тебя вполне мог бы быть взрослый сын, а у меня взрослый внук, на таком фоне маленький сын смотрелся бы еще эффектней... — рассмеялся он. — Но ничего не попишешь, а что с работой?

— Преподаю в Маастрихте, ты уже спрашивал.

— Прости, но ты же, кажется, жила в Амстердаме?

— А теперь живу в маленьком городишке Маасмехелен.

— С кем живешь?

— Одна, с двумя котами и собакой. Только не надо меня жалеть, я вполне довольна жизнью, поверь мне.

— Немножко зная тебя, я верю.

Мне казалось, что он все порывается о чем-то спросить меня, но словно бы не решается, неужели и до него дошли слухи о новоявленной Локусте?

— Скажи, Динь-Динь, а отчего умер твой муж? — осторожно осведомился он.

— Ты хочешь спросить, правда ли, что я его отравила?

— Помилуй Бог, что ты говоришь! — воскликнул он, но при этом покраснел.

— Нет, ты именно это хотел бы знать! Так вот, чтобы ты не боялся, что я подсыплю яду тебе или твоим домочадцам, и спокойно ел свой обед, довожу до твоего сведения, что Питер умер от редкой тропической болезни, а все слухи обо мне распространяют злобные, завистливые бабы, которые не смогли мне простить, что я вышла за богатого... Твое любопытство удовлетворено?

— Господи, почему ты так кричишь? — испугался он.

— Потому что эта история уже стоит мне поперек горла, потому что я не ожидала, что мой родной отец, каким бы плохим отцом он ни был, способен поверить в эту гнусную чушь! Мало того что эта вонь распространилась чуть не на всю Голландию, так она еще и здесь имеет хождение! А ты не подумал, когда услышал эту галиматью, что я, может быть, нуждаюсь в поддержке?

— Почему ты кричишь? — шепотом повторил он.

— Потому что я больше не могу! Я устала оправдываться в том, чего не совершала! Я любила Питера, его смерть была для меня и без того страшным ударом, а тут еще это... И ведь через сутки уже стало ясно, что я тут ни при чем... Так нет... Тебе-то кто напел эту мерзость?

— Арише сказала ее подруга, у которой сестра живет в Амстердаме...

Я не плакала уже очень давно, а сейчас меня душили слезы, но я собрала все душевные силы, чтобы не дать им воли, а потому замолчала. Не надо было сюда приходить, не надо было оживлять все это... Он знал, что у меня умер муж, более того, через третьи, пусть даже четвертые руки, он мог меня найти с легкостью, мог сам убедиться в том, что я не убийца... Но не пошевелил и пальцем... Так зачем я здесь?

— Юра, Дина, обед на столе! — заглянула в комнату Ариша.

— Пошли, Динь-Динь... — обрадовался отец. Он, видимо, что-то понял и опять растерялся. Мне больше всего хотелось встать и уйти, но я взяла себя в руки. Вытерплю этот обед, повидаюсь с бабкой и хватит. У меня есть Мура, Майка, Тося Бах, наконец, Рыжий...

Отец протянул мне руку, поднял из кресла, поцеловал в щеку и прошептал:

— Не сердись, Динь-Динь. На сердитых воду возят.

Он все такой же... Баловень жизни и женщин. Он не любит трагедий, так зачем ему было лезть в самую гущу трагедии, когда это так далеко, дочь взрослая, сама справится... Я и справилась, так в чем дело? Больше двадцати лет назад я стала для него отрезанным ломтем и ни одной секунды на него не рассчитывала, так почему же такая обида нахлынула?

Ариша встревоженно посматривала то на мужа, то на меня.

— Дина, я не знаю, что вы любите.

— Я в еде неприхотлива, спасибо.

— Я спрашивала Юру, а он помнит только, что в детстве вы любили сосиски. Но не подавать же сосиски, в самом деле!

— Да, это верно, когда-то я любила сосиски, но, прожив несколько лет в Германии, вполне удовлетворила эту свою страсть.

Обед был вкусный, пирожки к бульону просто восхитительные, но даже сотой доли того удовольствия, какое мне доставил обед у Муры, я тут не испытала.

— Вы плохо едите, вам не нравится? — беспокоилась Ариша.

— Да что вы, все очень вкусно, просто я вообще мало ем...

— Да, Динь-Динь, ты совсем худенькая, даже тощенькая, — с сожалением произнес отец.

Разговор не клеился.

— Папа, а бабушка уже знает, что я тут?

— Нет еще, не хотелось заранее волновать старушку. Мы скоро поедем к ней. Ты дачу не узнаешь, там так все заросло... Просто дебри... Ну и перестроили мы многое...

Опять повисла пауза.

И тут на помощь пришла Ариша:

— Дина, это правда, что вы учились вместе с Иванишиным?

— Да, правда.

— И он был в вас влюблен?

— Неужели папа помнит такие мелочи?

— Да нет, дело в том, что буквально вчера я видела повтор одного интервью, где Иванишин прямым текстом заявил, что до сих пор любит девочку Дину, с которой учился в школе. Я сразу подумала, что это вы. Я ведь знала, что вы учились вместе...

Я сделала вид, что понятия ни о чем не имею. И просто пожала плечами.

– Вас это совершенно не волнует?

– Да нет, мало ли что люди говорят по телевизору.

– А вы его видели?

– Костю? Пока нет, знаю только, что он стал актером.

– И каким! А уж мужчина – глаз не оторвать! Красота, обаяние, сексуальность, одним словом, звезда! И такой мужчина на всю страну объясняется вам в любви!

– Да Бог с вами! Он меня не видел давным-давно, помнит девочку-школьницу... Вероятно, ему удобно выставлять меня в качестве щита, мол, сердце мое занято...

– Кстати, очень удобно! – воодушевился отец. – Он, видно, не дурак, этот ваш Иванишин!

– И у вас нет соблазна с ним увидеться? – не отставала Ариша.

– Ну почему же? Я ведь для того и приехала, чтобы повидаться с одноклассниками.

– А посмотреть его в театре вы не хотите?

– Ариша, что ты пристала к человеку? Это ведь Иванишин влюблен в Динь-Динь, а не она! Ты сама, что ли, к нему неравнодушна?

– Юра, да к нему полстраны неравнодушны.

Теперь полстраны, про себя засмеялась я.

– Спасибо, все было очень вкусно.

— Но вы почти ничего не съели...

— Ну что, Динь-Динь, поедем к бабушке?

— Да, разумеется, только вечером мне нужно быть в Москве.

— Ну уж нет! Один вечер можно посвятить отцу и бабке! Если у тебя назначена встреча, изволь ее отменить! Мы столько лет не виделись... Да и с братом познакомиться не мешает. Он тебе понравится, такой парень! Ариша, сколько тебе нужно на сборы?

— Юра, я, пожалуй, не поеду!

— То есть как?

— Ну вам надо побыть наедине... Я там буду лишняя.

— Как ты можешь быть лишней, что за глупости? Да и Дениска расстроится.

— Я приеду утром. И уже надолго. Ты только сегодня вернулся, я же не знала, что так все сложится, не приготовила ничего для переезда.

— Ну как хочешь, — огорчился отец. — Тогда двинули, Динь-Динь.

Мы спустились в подземный гараж, где стоял его «вольво».

— Ты машину водишь, Динь-Динь?

— Конечно.

— А какая у тебя?

— «Пежо» и «опель» Питера.

— Питера? Ах да... Слушай, Динь-Динь, а какая у тебя фамилия?

— Ван Хольп.

— Эффектно звучит — госпожа Дина ван Хольп! Красиво, черт возьми!

— А может быть, стоило предупредить бабушку?

— Ты полагаешь, она упадет в обморок при виде тебя?

— Нет.

— Вот что ты не узнаешь, так это дорогу на дачу!

— Я тут многого не узнаю.

— А тебе нравится новая Москва?

— То, что я успела увидеть, мне понравилось.

— Уж больно много безвкусицы, нуворишества в архитектуре, а памятники...

— Ты и раньше ненавидел все здесь...

— Неправда, я никогда ничего не ненавидел...

— Но учил ненавидеть меня.

— И это неправда, я просто хотел, чтобы ты жила в нормальной стране.

— Нет, папа! Ты хотел сбыть меня с рук и всеми силами выпихивал меня за этого чертова Харди.

— Дорогая моя, ты сама хотела замуж.

— Да не хотела я замуж, просто другого выхода не было!

— Ну почему же? Ты могла остаться, пойти учиться в какой-нибудь институт. Но предпочла уехать.

— Я предпочла? Да не было этого! Не было! Вы все уговаривали, убеждали меня, и ты, и бабка, и Мура, и подруги, и вообще все...

— Мы желали тебе добра!

— Допустим, но почему ж вы сами-то остались

здесь? Ты ведь тоже мог жениться на какой-нибудь иностранке и уехать.

– Ну, положим, молоденькой красивой девочке сделать это куда легче. И Харди был в тебя бешено влюблен. Ты вспомни, вспомни те годы! Эту мертвечину! Мне казалось, это никогда не кончится! И потом, к чему эти упреки? Если ты так уж тосковала по родине, вполне могла вернуться, ты ж не сбежала, а по закону вышла замуж, а между тем ты ни разу даже не соизволила приехать, обиделась на весь мир... А чего обижаться? Ты совсем неплохо в жизни устроилась. У тебя есть профессия, прочное положение, дом... Муж умер, прискорбно, конечно, но ты еще не старая, другого найдешь... Ох, что это я... Ты прости, Динь-Динь, ты ведь сама начала. Да нет, я все понимаю. Ты мне так и не простила, что я ушел от мамы, хотя мне казалось... Но не надо судить людей так строго, у всех свои слабости...

Он во многом прав, а я дура. Во мне действительно скопилось много обид на него, наверное, не всегда справедливых, просто мне всю жизнь не хватало его любви, с самого детства. Надо постараться забыть их все, подвести под ними черту. Ну что делать, он такой человек...

– Ты лучше расскажи мне, почему ты стала археологом, раньше ты никакого интереса к древней истории не проявляла.

– Знаешь, когда погружаешься в древние века, это помогает забывать...

— По-видимому, плохо помогает, — засмеялся он.

И тут вдруг я подумала — в самом деле, это только иллюзия, я ничего не забыла, и никакие археологические раскопки тут не помогут, это не избавление, а всего лишь местная анестезия, и все мои боли при мне, наверное, если бы не наркоз, я бы со временем их изжила, а сейчас наркоз отошел и мне так больно, что сил нет... А ведь если бы я не стремилась избавиться от боли всякий раз, наверное, уже притерпелась бы...

— Ладно, Динь-Динь, помнишь Нюсю, нашу домработницу? Она всегда говорила: не журысь, девка. Помнишь ее?

— Еще бы! Когда ты обижал маму, она качала головой и приговаривала: «Ох, Юрок, Юрок, тебя кикимора болотная защекотит за твои грехи».

— Может, еще и защекотит, Кириллин день еще не миновал! Но ты, детка, забываешь еще фактор Андрея... Ведь это отчасти из-за него ты согласилась выйти за Харди.

— Нет! Нет! Он тут ни при чем... Но разве ты... знал?

— А ты как думала? Конечно, знал и навсегда с ним разошелся из-за тебя. Должно же быть у человека что-то святое... Дочь друга трогать нельзя, ни при каких обстоятельствах!

— А где он похоронен, ты знаешь?

— Нет. Скажи, сейчас у тебя есть кто-нибудь?

— Есть, — твердо ответила я, вспомнив о Рыжем.

— Вот и славно! — облегченно вздохнул отец. Одной неприятностью меньше.

А чем, собственно, я лучше него? Я так же бегу от неприятностей, но он делает это легко и весело, а я тяжело, с тоской и мучениями. Мне бы его легкость...

— Вот тут ты уже можешь, наверное, кое-что узнать.

— Это тридцать шестой? Сейчас будет поворот направо? — На тридцать шестом километре находился когда-то военный городок, от которого до дачи было чуть больше двух километров.

Но в нашем поселке я ничего не узнавала.

— Отсюда дорогу к дому нашла бы?

— Не уверена...

— Вот сейчас направо, налево и третий дом по правой руке.

Но и дома я не узнала. Кустики моего детства стали огромными кустами, деревца — деревьями, да и дом изменился до неузнаваемости. Когда-то все дома в поселке были похожи друг на друга, различались зачастую только фигурками, укрепленными на колпаке для трубы. На крыше знаменитого шахматиста был конь, у египтолога профиль Нефертити, а у бабки с дедом — он был известным композитором, а бабка музыковедом — красовался скрипичный ключ. Помню, мама говорила: какая наивно-безвкусная затея! Сейчас я этих фигурок не заметила, и скрипичного ключа тоже не было.

— Да, — только и сказала я, войдя на участок. Перед домом вовсю цвели тюльпаны.

— Папа! Папа приехал! — раздался вопль, и на крыльцо террасы выскочил мальчик, хорошенький, как на рекламном снимке. Но тут же застыл, настороженно глядя на нас.

— Денька, иди сюда скорее! — восторженно закричал отец, приглашающе раскинув руки. — Знаешь, кто эта тетя?

Мальчик подбежал и прижался к отцовской ноге.

— Это твоя старшая сестра, ее зовут Динь-Динь.

— Динь-Динь? Она китайка?

— Ну, во-первых, не китайка, а китаянка, а во-вторых, нет, она тоже моя дочка...

— Привет, — сказала я и протянула ему руку. — Ты Денис, а я Дина, просто папа когда-то так звал меня — Динь-Динь.

Он нерешительно протянул мне руку.

— А где вы были раньше?

— Далеко. Я живу в Бельгии, слыхал про такую страну?

Он продолжал молча меня изучать.

— Ну ладно, пошли в дом! Вы тут посидите, познакомьтесь поближе, а я поднимусь к бабушке.

— А что у тебя в коробке? — спросил Денис.

— Ох, прости, это для тебя подарок. Вот, посмотри, может, понравится. — Собираясь к отцу, я наведалась в «Детский мир», где, конечно, тоже ничего не узнала, кроме мороженого — оно было почти такое же, как в детстве, – и купила брату безумно дорогую машину «скорой помощи» с массой каких-то приспособлений.

– Это реанимобиль?

– По-видимому, да!

– Здорово! Я ведь хочу быть врачом! Ты про это знала, тебе папа сказал?

– Нет, просто угадала.

– А моя мама, она не твоя?

– Нет!

И тут на крыльце появилась бабушка. Я замерла.

– Дина! – крикнула она и шагнула было с крыльца, но отец удержал ее за локоть. Наверное, боялся, что она упадет. Бабушка за эти годы изменилась меньше всех. Только похудела немного.

Я медленно пошла к ней.

– Возвращение блудной внучки! – как-то смущенно улыбнулась она. – Давно пора, между прочим. Ну, иди же скорее, я тебя поцелую.

От нее, как и прежде, пахло духами «Мицуко», она была так же подтянута и аккуратно причесана, с превосходным маникюром. Но желания рыдать у нее на груди как-то не возникало.

– Дай-ка я на тебя погляжу. Ну что ж, ты хорошо выглядишь, не расплылась, форму держишь, молодец. Стиль у тебя появился...

– Ты тоже заметила, мама? – обрадовался отец.

– А ты, Мальвина, совсем не изменилась, просто чудо какое-то!

— Слышишь, Юра, она зовет меня Мальвиной! — улыбнулась она.

Моя бабка требовала, чтобы я звала ее по имени, слово «бабушка» приводило ее в ярость, но поскольку волосы у нее и тогда были седые, а она еще их слегка подсинивала, я называла ее Мальвиной.

— Ты не голодна, Дина?

— Нет, что ты, мы же после обеда...

— Хорошо, пойдем ко мне наверх, поговорим по душам.

Говорить по душам в ее кабинете не хотелось. Она сидела в своем ампирном кресле, совсем как тогда, когда в последний раз напутствовала меня перед отъездом за границу. «Динуша, пойми, перед тобой открывается мир! Ты сможешь путешествовать, жить, где вздумается, к тебе там будут относиться с должным уважением, а не сочувственно или презрительно, как относятся к нам, когда удается вырваться за пределы нашей тюрьмы. Ты не можешь себе представить, как унизительно выезжать за границу либо вместе с целым стадом, либо под чьим-то присмотром, но всегда без копейки... Помню, кто-то рассказывал, как покойный Дмитрий Дмитриевич Шостакович, величайший композитор нашего времени, будучи в Вене, попал на какой-то вечер, где все что-то давали на благотворительные цели, а у него в кармане не было ни гроша и он вынужден был снять с себя часы и бросить в общий котел! Чудовищно! Правда, говорили, он устроил потом грандиозный скандал, не то в посольстве, не то в Министерстве культуры. И это Шостакович! Они, вероятно, хотят, чтобы мы чувствовали себя за границей максимально плохо... А ты сможешь жить как белый человек!» Разумеется, она во всем была права, только я не хотела понимать... Мне казалось, что я им просто в тягость — дурацкие юношеские комплексы, максимализм, путаница в башке. Они советовали, подвигали, нашептывали — мне во благо, а я обиделась. Обиделась на десятки лет. Наверное, это плохо, но каяться тоже не хотелось... Они ведь смирились с тем, что я обиделась. От всех этих мыслей и чувств заболела голова.

— Знаешь, когда я представляла себе, какой ты будешь в зрелые годы, я видела какую-то другую женщину. Более русскую обликом, что ли... А ты иностранка. Не будь ты моей внучкой, увидев тебя на улице, я бы сразу сказала — это иностранка.

— Я и есть иностранка, никуда не денешься... Двадцать три года, большая часть жизни.

— Вот и хорошо! Тебе, вероятно, кажется, что мы тут все преуспеваем, Москва стала элегантным городом... Но, во-первых, Москва это не вся Россия, а во-вторых, видела бы ты, что было в конце восьмидесятых, начале девяностых... Разруха, ужас, крысы на улицах, толкучки у станций метро, прилавки пустые, талоны на все... А сколько народу не вынесло этой ломки, сколько спилось, впало в нищету, потеряло даже те крохи, что удалось скопить за долгую жизнь.

А ты спокойно жила в Европе. Допускаю, у тебя были жизненные драмы, а у кого их нет?

— Мальвина, зачем ты произносишь этот монолог?

Она немного смутилась:

— Знаешь, твое появление застало меня врасплох...

— Я хотела тебя предупредить, но папа...

— Твой отец обожает подобные сюрпризы! Ну, Бог с ним, его уж не переделаешь. А как тебе его мадам?

— Не разобралась, но с виду вполне...

— А у тебя есть дети, муж?

— Нет, ни детей, ни мужа. Он умер, но не потому что я его отравила.

— Да, такой слушок прошел, — хмыкнула Мальвина. — Но я ни на секунду не поверила.

— Спасибо за доверие.

— К чему эта ирония?

— Да нет, все нормально. Ты мне лучше вот что скажи... У тебя ведь есть еще одна внучка...

Мальвина порозовела.

— Да, Нелли... Фантастически красивая девочка! Хочешь с ней познакомиться?

— Хочу!

— Я дам тебе ее телефон.

— Телефон? — удивилась я. — Она что, у вас не бывает?

— Нет, знаешь ли... Она затаила обиду... Ее мать так настраивает.

— Если мне не изменяет память, ты в ее матери души не чаяла.

— О, люди так неблагодарны... Наташа из милой девочки превратилась в злобную хищницу, которая только и ждет, что мы с Юрой умрем, и ей достанется половина наследства... Но в таком случае ей придется отравить Аришу, ох, извини...

— Нет-нет, ничего, я привыкла уже... Так зачем ей травить Аришу?

— Ну, потому что по закону жена, кажется, наследует две трети, а оставшуюся треть делят между детьми. Но она не дождется, Юра составил завещание...

— Послушай, Мальвина, я не хочу все это знать, меня это ни в какой мере не касается, тем более что, насколько я понимаю, меня уже тут в списке детей не числят. Но не волнуйся, мне ничего не надо! С меня вполне хватит того, что у меня есть, а разговоры о таких вещах вызывают аллергию, уж не обессудь.

— Да-да, ты совершенно права, просто я очень любила Нелли, а она не желает и слышать о нас...

Я хотела спросить, не кажется ли ей странным, что вот и вторая внучка не хочет слышать о них, но не стала. Зачем, она ведь такая старая... Вблизи видно, какие у нее старческие руки в коричневых пятнах и сколько уж ей осталось...

— Динуша, ты вот сказала, что тебя не числят в списке детей... Ты на что-то рассчитывала?

— Побойся Бога, мне абсолютно ничего не нужно от вас, но я ведь существую, а вы сначала выкинули меня де-факто, а потом и де-юре... Это немного обидно, но пусть это будет моим самым большим огорчением в жизни. Живите спокойно. Мне ничего, повторяю, ничего не нужно.

Она решительно поднялась, подошла к секретеру красного дерева, достала что-то из ящика.

– Подожди, я на минутку.

Ее не было минут пять. Вернувшись, она подошла ко мне и протянула чуть потертый бархатный футляр.

– Вот, возьми.

– Что это?

– Открой.

В футляре лежали роскошные серьги старинной работы с бриллиантами и сапфирами и такое же кольцо. Прежде я никогда их не видела.

– Что это?

– Это наше фамильное... И я отдаю это тебе, своей старшей внучке.

Вся сцена напоминала какие-то старинные романы не слишком высокой пробы. Даже странно, бабушка – дама вполне изысканная. Я едва сдерживала смех.

– Красиво!

– Вот и носи на здоровье! Примерить не хочешь?

Я закрыла футляр и положила на стол.

– Спасибо, Мальвина, но я не возьму.

– То есть как, почему?

– Потому что не ношу подобных вещей в принципе, не мой стиль.

– Не выдумывай! Это старинная флорентийская работа...

– Спасибо, я все оценила, но мне это не нужно. Отдай лучше Нелли, она, говорят, красавица, молоденькая еще, ей будет в самый раз.

– Но ведь помимо работы это еще и большая ценность.

– Именно поэтому я и не возьму.

– Ты меня обижаешь!

– Да боже сохрани, у меня и в мыслях нет... А у тебя сохранилось то колечко с александритом, ну овальное такое, помнишь, я обожала его... Оно так здорово меняло цвет... Вот его я бы взяла на память.

– То колечко я подарила... одной девушке, она мне делает уколы... Не думала, что ты его помнишь... Так возьми на память эти вещи!

– Нет, при виде этой роскоши кажется, что мне дают отступного...

Мальвина вспыхнула, но не разразилась гневной тирадой, а молча поджала губы, и по этой ее реакции я поняла, что попала в точку. Мне и вправду хотели дать отступного. В сумке зазвонил мобильник. Я схватилась за него как утопающий за соломинку. Номер был незнакомый.

– Алло! – закричала я так, что Мальвина поморщилась.

— Дина? Привет! Иванишин, помнишь такого?

— Костя? Господи! Как ты меня нашел?

— Долго искал, ох как долго! — засмеялся он. — И смертельно хочу увидеть прямо сейчас, сегодня, до всяких школьных встреч, кстати, еще нет уверенности, что смогу прийти, а сегодня я свободен весь вечер!

— Ты сможешь за мной приехать?

— Без вопросов! Где ты находишься?

— За городом. На даче у отца. Сможешь сюда приехать?

— Хоть на край света! Говори, как тебя найти, и я через десять минут выезжаю!

Я попыталась объяснить ему дорогу, он почти сразу перебил меня:

— Да знаю я этот поселок, у меня там знакомые живут. Господи, Динка, неужто я скоро тебя увижу!

— Костя, ты только учти, что мне уже за сорок!

— Какая разница, ты — это ты, в любом возрасте! Пока!

В его голосе слышалось неподдельное ликование. Но он ведь, кажется, хороший актер...

— В чем дело? — сухо осведомилась Мальвина, но я могла бы голову прозакладывать: она вздохнула с облегчением, поняв, что я скоро уеду. Нам было тяжело вместе...

— Это Костя Иванишин, мой одноклассник.

— Иванишин? Актер?

— Да.

— На редкость интересный мужчина и превосходный актер, я стараюсь не пропускать его фильмов, хотя иной раз он снимается в чудовищной муре... Так ты не останешься до завтра?

— Нет, Мальвина, не останусь.

— Что ж, когда на горизонте такой мужчина... вполне тебя понимаю!

Она лукаво улыбнулась и подмигнула мне, решила не обострять ситуацию, и я была бесконечно ей благодарна. В самом деле, все прекрасно: внучка приехала, но ее позвал знаменитый красавец, секс-символ и прочее, кто сможет кинуть в нее камень? Только не мы, мы люди понимающие. Она иногда бывает мудрой в своем эгоизме, моя бабушка.

— Боюсь, Юра расстроится. А больше всех, — она захихикала, — больше всех расстроится Ариша! Она без ума от Иванишина!

— Господи, Мальвина, я Костю не видела бог знает сколько лет и даже вообразить не могу, какой он стал, но и ты, и Ариша с таким придыханием о нем говорите, что мне даже как-то страшновато...

— Но ты же не в невесты к нему метишь, насколько я понимаю! Боюсь, это уже не для тебя... Вернее, не для него, он, кажется, любит моделек... А для старой подружки ты выглядишь просто великолепно! И тебе нельзя дать твоих лет, впрочем, коль скоро вы учились вместе... Да и ты сама ему напомнила о своем возрасте. Ну что ж, пойдем вниз, надо распорядиться, чтобы сделали чай... Надеюсь, он выпьет с нами чаю?

— Чтобы потом дразнить Аришу? — засмеялась я.

— Ну зачем же, бедная девочка и так расстроится! — она опять дружески подмигнула мне. Ей-богу, она благодарна мне от всей души за то, что избавляю ее от своего присутствия. Я для нее чужая... Но и я не ощущаю родства с ней. Спасибо, Костя!

Отец и Дениска играли с моей машиной. Бабушка велела появившейся неведомо откуда женщине накрыть на террасе стол к чаю.

— Юра, Дина скоро уезжает.

Он поднял голову, и на его красивом, выразительном лице отразилось огорчение.

— Что случилось?

— Ничего не случилось, но Дине позвонил Иванишин — он скоро приедет за ней.

Огорчения как не бывало. Ну и хорошо! Все останутся довольны. Я ведь тоже чувствую громадное облегчение... И вот теперь, когда стало ясно, что я тут не задержусь, разговор потек легко и непринужденно. Минут через двадцать Мальвина шепнула мне:

— Ты не хочешь немножко привести себя в порядок? — и опять подмигнула мне. На сей раз она угадала, я действительно думала, что надо бы причесаться, подкрасить немного глаза...

Ванная тут была просторная, красивая, неузнаваемая, за исключением зеркала, которое я хорошо помнила — большое, в фарфоровой раме, его когда-то привез из-за границы дед. Я любила в него смотреться, оно делало человека чуть лучше, чем он был на самом деле, во всяком случае, стройнее... Но то, что я увидела сейчас, мне, в общем, понравилось. Красивой я никогда не была, но лицо живое, глаза блестят, кожа еще молодая... Додик, когда я особенно хорошо выгляжу, любит говорить: «Динка, в твоем облике нет ничего лишнего, просто удивления достойно! Хотя я лично добавил бы немножко мяса!» Но с той девочкой, которую помнит Костя, нет ничего общего.

## Глава седьмая
## УШАТ ХОЛОДНОЙ ВОДЫ

Улица из дома не видна, так все заросло. Поэтому когда за воротами раздался сигнал, я вскочила.

— Юра, поди встреть гостя! — распорядилась Мальвина.

— Нет, я сама!

— Открой ему ворота! — крикнула вслед бабушка.

У ворот стоял черный «лендровер», а возле него мужчина, и самом деле неотразимый! Сразу видно, звезда! Он ошеломленно смотрел на меня.

— Шадрина, это ты?

— Не узнал, Костик?

— Охренеть! Какая ты стала... Охренеть!

— Выразительно! — засмеялась я. — Но ты просто вырвал у меня это слово! Мне тоже при виде тебя захотелось воскликнуть: охренеть!

И вдруг на его лице отразилось блаженство.

— Ой, Динка! — И он без лишних слов сгреб меня в охапку, прижал к себе и прошептал: — Я всегда говорил, мы с тобой охренительные ребята! — И он слегка подбросил меня в воздух.

— Молодой человек, осторожнее, не уроните мою дочь!

— О, простите, я не видел... Здравствуйте!

— Добрый день, прошу, заезжайте на участок.

Костя вопросительно глянул на меня, а я едва заметно покачала головой.

— Простите, Юрий Денисович, но время поджимает, я боюсь не успеть.

— Ну хоть чашку чаю выпьете?

— Благодарю, но я только что от стола и не в силах... К тому же...

— Жаль, но поздороваться с Дининой бабушкой вы должны. Она нам не простит...

— Да, да, разумеется...

Костя блестяще демонстрировал хорошие манеры. Поднялся на веранду, поцеловал Мальвине ручку, потрепал по волосам Дениску, который, впрочем, не проявил к нему ни малейшего интереса, но пить чай категорически отказался.

— Дина, надеюсь, мы еще увидимся? Ты просто обязана еще приехать сюда, мы приготовим хороший обед, посидим по-человечески, без спешки... — говорила Мальвина светским тоном. — Наконец, я хочу подарить тебе свою книгу о Малере...

— Спасибо, непременно, как же иначе... — отвечала я.

Мы с ней расцеловались, Костя еще раз приложился к ручке, она поцеловала его в лоб, все как в лучших домах, а отец с Дениской пошли проводить меня до машины.

— Динь-Динь, у вас что-то произошло с бабушкой? Не обращай внимания, все-таки возраст... Она и раньше бывала бестактной, а с годами... Знаешь, есть даже такой медицинский термин — старческое усиление характера... — тихо сказал отец.

— Не волнуйся, папа, все нормально. Я позвоню.

Он обнял меня, расцеловал, а Костя предупредительно открыл передо мной дверцу «лендровера».

— Уезжаешь? — спросил вдруг Дениска.

— Уезжаю, брат. Но мы еще увидимся!

— Пока! Пап, пошли доиграем!

Машина тронулась. Отец картинно помахал мне вслед, а когда мы свернули за угол, Костя вдруг затормозил:

— Ну все, Шадрина! Демонстрация хороших манер закончилась! Привет, чувиха! — И он сильно хлопнул меня по плечу.

— Иванишин, ты больной? — поморщилась я.

— Пойдешь Бобсону жаловаться?

— Я, Иванишин, доносами не занимаюсь, у меня другое оружие против таких дураков! — И я ущипнула его за руку.

— Ай, больно!

И мы оба начали хохотать как сумасшедшие, когда-то такие сценки часто разыгрывались между нами.

– А Бобсона уже нет, – с грустью сказал вдруг Костя.

Бобсоном мы звали нашего директора, Бориса Исаевича Бергсона, добрейшей души человека, но страшного крикуна.

– Мне Тоська сказала, что теперь директор Керосинка. А как ты меня нашел? Через Тоську?

– Конечно. Но, кажется, я появился вовремя, да?

– Не то слово.

– У вас там напряженно было, я сразу просек... Но твой папаша гигант. Такой маленький сын в его возрасте...

– И он еще ходит налево!

– Молодец! Ох, Динка, о чем мы говорим! Ерунда какая-то. Дай я на тебя посмотрю. Ты здорово изменилась.

– И ты тоже. Но ты к лучшему!

– И ты! Ты в сто раз интереснее той Льдинки... Помнишь, я тебя звал Льдинкой?

– Нет, не помню.

– Естественно, ты ж не обращала на меня внимания, а я умирал от любви... И от ревности.

– К кому?

– Ну ты же была как ненормальная влюблена в какого-то старика, я один раз выследил тебя, видел, как ты села к нему в машину и вы стали целоваться... А я проколол ему колесо... Динка, Динка, неужели это ты?

В этот момент мимо с грохотом пронеслись два мотоцикла и вывели нас из счастливого оцепенения.

— Ну, куда мы едем? — спросил он.

— Понятия не имею! — засмеялась я. С Костей мне было легко и хорошо.

— Наверное, следовало бы пригласить тебя куда-то поужинать, но так не хочется никого видеть... А давай поедем ко мне на дачу?

— У тебя есть дача?

— Осталась от родителей развалюшка, но с хорошим садом. Я ее в свободное время перестраиваю своими руками, хотя времени практически нет. Но там можно разжечь костер, испечь картошку... Как тебе такое романтическое предложение? Ты ничего такого не думай, в доме две комнаты... — он вдруг смутился. — А не захочешь остаться, отвезу тебя в город. Но тогда пить не будем.

— Да нет, мне необходимо выпить. Я тут три дня, а столько на меня всего обрушилось... Поехали на дачу!

Он просиял:

— Шадрина, ты клевая чувиха!

— Еще так говорят — клевая чувиха?

— Ну, нынешние школьники, вероятно, говорят как-то иначе. Но ты меня поняла?

— А как говорит твой сын?

— Мой сын учится в нашей школе, а им там прививают теперь хорошие манеры, учат говорить на правильном литературном языке, и он от этого в восторге, иной раз одергивает меня, когда слышит жаргонные словечки, так что современного жаргона от него не наберешься.

— Он у тебя красивый?

— Да.

— Покажешь фотографию?

— У меня с собой нет. Потом как-нибудь... А у тебя есть дети?

— Нет. Костя, поедем уже.

— Да-да, сейчас... Просто не могу оторваться от твоего лица. Оно такое...

— Какое? — улыбнулась я.

— Мое...

Он произнес это так проникновенно, что я вздрогнула. Он опасный, этот мой одноклассник. Ох, до чего опасный. И словно в подтверждение этой мысли он провел пальцем по моей переносице, где до сих пор сохранился маленький шрам, оставленный рулем его велосипеда. Мы учились во втором классе, когда он ни с того ни с сего взял и наехал на меня. Было много крови, слез, шуму, мама ходила в школу, возмущалась. Нос распух, я рыдала, боясь, что навеки останусь с таким уродливым носом...

— Помнишь? — спросил он.

— Еще бы! Знаешь, как больно было!

Он взял мою голову руками и осторожно подул на переносицу.

— Костя!

— Нет-нет, ничего... — слегка смутился он. — Ну, едем, Шадрина! Ты что пьешь?

— Ну, к печеной картошке лучше водки ничего не придумано. А еще я знаешь чего хочу?

— Ну?

— Квасу!

— Квасной патриотизм взыграл?

— Нет, я просто вспомнила...

— Как я принес тебе бидон квасу, когда ты болела?

— Да! Было так жарко, хотелось пить...

— Я тогда весь район обегал, насилу нашел и простоял почти час в очереди... Это было классе в девятом, да?

— Кажется...

— Тронут, что ты это помнишь. Значит, не зря старался.

Я понимала — нельзя, нельзя в это углубляться, опасно. Он слишком хорош, просто невероятно хорош, и от него исходит такое мужское обаяние, что очень легко совсем потерять голову, да я, кажется, уже ее потеряла, раз еду к нему на дачу... Надо попытаться по крайней мере сбить его с лирического настроя.

— Костя, а ты с кем-то из наших поддерживаешь отношения?

— Постоянно только с Надькой Коваль. Она гримером у нас в театре. У нее трое детей. Три пацана, погодки.

— Надо же! А муж кто?

— О, муж у нее знаменитый парикмахер, хороший мужик, только иногда уходит в запой. Но нечасто. А еще с Венькой Гордоном общаюсь. Он, правда, живет в Иерусалиме, но бывает в Москве, и я у него бывал. Ну и, разумеется, Тоська Бах! Она ходит на все мои премьеры, и у меня такое ощущение, что всякий раз с новым спутником. Но она милая, хоть и болтушка. Вот, пожалуй, и все... Да, помнишь Витька Дубова? Он года два назад умер...

— Что-то я такого не помню.

— Как ты можешь его не помнить? Высоченный такой, худющий. Мы еще звали его «Вишневый зад»?

— Погоди, погоди, «Вишневый зад», что-то припоминаю... У него штаны были вишневые, да?

— Ага, вельветовые, вспомнила? Так вот, умер от инфаркта. В одночасье. А добился многого, банкиром стал. А хочешь знать, как сегодня все вышло? Тося позвонила сообщить точное время встречи в школе, а я сказал, что не уверен, смогу ли прийти. Она развопилась, а потом как бы между прочим сказала, что Шадрина уже в Москве. Ну, тут уж я встал на уши, стребовал с нее твой телефон, можно сказать, прибег к шантажу, и буквально через две минуты мне сообщили, что спектакль сегодня отменяется. Я решил, что это знак свыше...

— А тебе не было страшно?

— Страшно?

— Ну ведь столько лет прошло...

— Для меня это не имеет значения, ты это ты.

— Но ведь я могла бог знает во что превратиться...

— У меня слабое воображение, — засмеялся он.

— Но как же это возможно для такого знаменитого актера?

— Ну, знаменитый не обязательно гениальный. Я просто хороший актер, но не гениальный, я это знаю.

— Ты странный парень.

— А не странен кто ж? — засмеялся он.

— Твоя дача далеко?

— Нет, еще минут двадцать езды. А знаешь, я как-то давал интервью по телевизору и признался тебе в любви...

— Я вчера видела повтор. Случайно наткнулась...

— Правда?

— Конечно. Меня это растрогало.

— А знаешь, почему я так сказал?

— Я думала об этом.

— И что придумала?

— Что ты этой детской любовью прикрываешься как щитом от массы напирающих на тебя баб.

— Шадрина, ты почему такая умная? — захохотал он. — Только в тот момент я защищался не от массы, а от одной, но весьма настырной... И тем не менее я сказал правду. Запомни это, Шадрина.

Дальше мы ехали молча. Внутри у меня бушевали штормы. Словно все эти эмоции ожили после многолетнего анабиоза... И дело было не только в Косте... Интересно, может человек выдержать такое в течение двух недель? А ведь есть еще Рыжий... Но он как раз успокаивал меня. Он не казался опасным, но как же он проигрывал в сравнении с Костей... К тому же у нас с ним не было ни одного общего воспоминания, кроме Барсика на ограде...

— Приехали! — объявил Костя.

Дом и вправду был старый, даже ветхий, но старания хозяина привести его в божеский вид были заметны.

— Вот мое владение! Не слишком шикарно, да? Зато смотри, какой сад. Мне все талдычат — снеси, построй новый дом, а мне не хочется, я этот люблю...

— Ты такой верный человек?

— Да, по сути, я очень верный...

— За этим должно последовать какое-то но?

— Пожалуй! — рассмеялся он.

— Не можешь хранить верность женщине?

— Просто еще не встретил ни одной, которая бы этого стоила.

— Ну и соблазнов наверняка куча?

— И соблазнов, — кивнул он. — Слушай, Шадрина, да чего же мне с тобой легко... А раньше, наоборот, было так трудно...

— Это потому что раньше ты был в меня влюблен, а теперь просто встретил школьную подругу... И потом, нам вроде как ничего друг от друга не надо...

— Фигня!

— То есть?

— Мне лично от тебя много надо! Надеюсь, и тебе...

— А картошка у тебя есть? На данный момент мне от тебя нужна только печеная картошка.

— Понял. Картошка есть, костер сейчас разожгу.

Он внимательно на меня посмотрел. И засмеялся:

— Не ври, Шадрина, ты врать никогда не умела, у тебя сразу уши краснеют, так что зря так коротко постриглась.

— Не выдумывай! — я невольно схватилась за ухо.

— Умная, умная, а попалась!

— Так есть картошка или нет?

— Конечно есть, более того, видишь этот ящик?

— Ну, вижу.

— Сам сделал специально, чтобы печь картошку, в нем она получается охренительно вкусная и негрязная. Я сейчас!

Он принес с терраски складное креслице.

— Садись, я все сам сделаю. И вот возьми, намажься, а то комары...

— Спасибо, но давай лучше я тебе помогу!

— Не надо, я в два счета!

Он опять убежал и принес мне старенький плед.

— Хочешь чего-нибудь выпить в качестве аперитива?

— Нет, спасибо.

Он быстро и ловко разжег костер.

— Динка, только имей в виду, картошка еще не скоро будет, может, съешь пока бутерброд, а?

— А с чем?

— Увидишь!

Через несколько минут он вернулся с большой тарелкой, на которой лежал наломанный лаваш, горка зелени и какие-то толстые золотые неровные колбаски.

— Что это?

— Армянский копченый сыр.

Я попробовала. Это было очень вкусно. И лаваш свежий.

— Костя, создается впечатление, что ты готовился к моему приезду, — засмеялась я.

— Просто надеялся, что согласишься приехать, вот по дороге к тебе и заскочил на рынок. Вкусно, правда?

— Очень, — ответила я с полным ртом.

Мы сидели друг против друга, ели лаваш с сыром и хохотали, вспоминая школьные шалости и глупости.

— А помнишь, Шадрина, в твое дежурство Вовка Марков перед немецким доску мылом намазал. Мы думали, на ней нельзя будет писать...

— Еще бы не помнить! Писать-то наш немец все написал, а стереть — фигушки. И в отместку заставил меня стирать... Я чуть не плакала...

— Ты вообще плакса была жуткая...

— Не ври, Иванишин!

Когда дрова прогорели, Костя закопал ящик с картошкой в золу.

– И что теперь?

– Минут через сорок будет потрясающая картошка. А я сейчас соображу что-нибудь к ней...

Он опять ушел. Было еще совсем светло, но по-вечернему свежо. Я укрылась пледом и не заметила, как уснула. Проснулась от взгляда. Передо мной на корточках сидел Костя и смотрел. В его светло-зеленых глазах мне почудились какие-то бездны. Как ни пошло это звучит, в них можно было утонуть. Казалось, этот взгляд проникает до самой печенки.

– Костя, перестань так на меня смотреть!

Он не пошевелился, не моргнул глазом.

– Костя, ты что?

– Шадрина, я в тебя влюбился!

– Вот новости! – попыталась улыбнуться я, а у самой в горле пересохло.

– Я в тебя сейчас, когда ты тут так беззастенчиво дрыхла, влюбился заново. Не в ту воображалу, а в эту женщину с прошлым. У тебя большое прошлое, Шадрина? – он говорил почти шепотом, и голос звучал ужасающе сексуально. Да, перед таким ни одна баба не устоит.

– Еще какое, чего там только не было. Даже тюрьма.

– Тюрьма? – вскинулся он. – За что?

– Да одного араба кока-колой по башке шарахнула.

– Что значит кока-колой?

– Литровой бутылкой этой отравы.

— За что? — он улыбался. Мне все-таки удалось свести разговор к шутке. Он долго хохотал, узнав о сроке моего заключения.

— А что еще криминального было в твоей жизни?

Подвоха в этом вопросе я не услышала. Видимо, слухи о знаменитой отравительнице не достигли его ушей. Но теперь могут достигнуть в любой момент... И я все ему рассказала.

— Вот скоты! Что зависть с людьми делает... Мне тоже приходилось с этим сталкиваться, и не раз, противно до ужаса...

— Ты правда ничего не знал?

— Да если б я знал, я бы тут же кинулся тебя искать, предложил бы помощь... А если надо, набил бы кому-нибудь морду...

Он сказал это так просто, что я не справилась с собой и разревелась. Почему такая простая мысль не пришла в голову моему отцу, бабке, когда до них дошли слухи... Эта мысль уже мелькала у меня сегодня. Костя, по сути, совсем чужой человек... «Я бы кинулся на помощь, если бы только знал...» А они знали и не кинулись.

— Это еще что такое? Ты чего тут сырость разводишь, Шадрина?

— Извини, это так... ерунда...

— Между прочим, картошка готова.

Мы ели картошку с маслом, солью и маринованными помидорами, пили водку, и вдруг, когда почти стемнело, запели соловьи. Как давно, как страшно давно я не слышала соловьев.

А Костя тем временем рассказывал о себе:

— Я не собирался быть актером, поступил в МВТУ, но однажды пошел с девушкой на какой-то просмотр в Дом кино. Мы сидели потом, что-то пили, вдруг ко мне подбегает какая-то заполошная тетка и спрашивает, не актер ли я. Нет, говорю, я студент МВТУ. А она начинает ломать руки, умолять меня прийти завтра на пробы для фильма о полярниках. Я чуть со смеху не помер, а она вцепилась в меня мертвой хваткой, да еще и девушка моя стала подзуживать: сходи, Костя, чем черт не шутит, вдруг звездой станешь... А тетка все нажимает: «Молодой человек, у вас лицо для экрана создано, голос богатый, такой шанс может в жизни больше не представиться...» Уговорила. Я пошел. Режиссер отнесся к моей кандидатуре весьма прохладно, но оператор заинтересовался. Фотопробы оказались классные. И я вдруг завелся. На этом заводе и кинопробы прошел. Представь себе мое удивление, когда меня утвердили на роль! Она была не главная, конечно, но все-таки. На площадке многие меня хвалили, и я решил рискнуть — подал документы в Щуку. И меня приняли! Я еще дурак был, испугался страшно, я ведь в глубине души не верил, что примут. А тут такой поворот. Отец в крик! Только что не выпорол. А мама сказала: «Котик, один эпизод, конечно, ничего не значит.

И даже то, что тебя берут в училище, тоже еще не бог весть что, но когда одно и другое вместе, надо задуматься, может, это твоя стезя». И я бросил Бауманское, стал учиться в Щуке.

У нас был потрясающий курс, да и вообще... Это было здорово, это было мое... Иногда меня приглашали сниматься, но я так себе не нравился на экране... А потом меня еще в институте пригласили в театр, и один актер сказал: «Парень, с твоей внешностью тебе будут давать играть только героев-любовников. Ты их, конечно, играй, но ищи для себя что-то еще, просись на характерные роли, пытайся поярче выглядеть в эпизодах, гримом не пренебрегай, хоть это нынче и не модно. Я чую, ты сможешь стать хорошим актером. А одни герои-любовники — это ранняя смерть в театре».

Я прислушался к его словам, тем более что перед глазами как раз был пример рано постаревшего героя-любовника, который пытался играть что-то другое, а у него не получалось. Я ничем не брезговал. Один раз упросил дать мне роль инвалида на тележке, который время от времени въезжал на сцену, отталкиваясь деревянными чурками, и орал пьяным голосом «Катюшу». Это был такой успех! Одна критикесса написала: «Молодой и чрезвычайно фактурный артист Иванишин был невероятно глубок и убедителен в роли безногого инвалида. И хотя в пьесе о нем почти ничего нет, но молодой артист создал, по сути, образ целого поколения, в юности попавшего на войну. Сердце разрывается, глядя на этого красавца, которому надо бы кружить в вальсе самую красивую девушку, летать на мирных самолетах, носить красивую форму... А он ездит на самодельной каталке, и мы знаем, что в один прекрасный день его уберут из города, увезут на далекий остров доживать свою никчемную жизнь...» Ты не удивляйся, это была первая рецензия в моей жизни и я ее запомнил почти наизусть. Мама после спектакля рыдала, а отец сказал: «Можешь, чертяка, можешь!»

Ух, как я был счастлив! И родители мной гордились. А потом Чернобыль... Отец туда поехал по долгу службы и по зову сердца, он такой был, ну и нахватался там... Через полгода сгорел. А мама еще пожила, порадовалась моим успехам, внука понянчила. А потом ее парализовало. Два года она лежала, даже говорить не могла. Моя жена не выдержала, забрала сына и ушла. Вот тут я узнал, почем фунт лиха! Всему научился. В общем-то справлялся, только глаз маминых вынести не мог... Она так страдала, когда я ее обихаживал. Потом, к счастью, нашлась одна женщина-баптистка, которая согласилась за ней ходить, и мама успокоилась. Я тогда мало зарабатывал, все деньги уходили на сына и сиделку, вот и начал сниматься в сериалах, за них платили прилично. Я поначалу не относился к этому серьезно, а именно сериалы и принесли мне настоящий успех. Единственное, что могу сказать, — я всегда работал честно... А потом мама умерла, и я остался один. Жена хотела вернуться, но я не принял... Один раз она меня предала, значит, легко предаст и еще.

— А что ж больше не женился? Думаю, недостатка в претендентках у тебя нет.

— Что верно, то верно, — засмеялся он. — Но знаешь, Шадрина, неохота связывать себя... Я все сам умею и живу так, как хочу, никому не отчитываясь. Мне хорошо...

— Я тебя понимаю, в одиночестве есть много прелести.

— Конечно! А особенно когда ты целыми днями и ночами на людях... Зимой я живу в Москве, летом стараюсь как можно чаще бывать здесь. Знаешь, я в детстве ненавидел эту дачу, меня заставляли тут вкалывать на огороде, воду таскать... Когда мама слегла, я хотел продать к черту эту халупу, но дача была записана на ее имя, доверенности не было, словом, канитель, а времени ни на что не хватало, замотался и не продал, а потом, уже после ее смерти... Как сейчас помню, какие-то неприятности были, устал как бобик и буквально приполз сюда. А тут сирень, соловьи поют, воздух свежий. Ну я и пропал. А когда начал вещи разбирать, нашел письма отца к маме, он часто уезжал надолго на полигоны и писал ей... Такие хорошие письма, чистые, наивные в чем-то, сейчас, наверное, таких писем уже никто не пишет... И в этих письмах он мечтает о своем домике за городом, а в более поздних, когда домик уже был, дает маме советы, как в его отсутствие сделать то-то и то-то... И я понял, что просто не имею права продать... И сносить не хочу, вот и взялся сам тут колупаться... Иногда с другом приезжаю, он инженер-строитель, дельные советы дает...

— А поклонницы тебя тут не одолевают?

— Пока, слава богу, нет, — засмеялся он. — Динка, слышишь, как соловьи поют? А в твоем этом городишке есть соловьи?

— Да что ты, откуда?

— А у тебя есть... друг? — спросил он вдруг шепотом.

— Друг или любовник, что тебя интересует?

— Любовник!

— Нет, сейчас нет. А вот друг есть.

— Просто друг?

— Просто друг!

— Он что, импотент? Или голубой?

— Ни то ни другое.

— Значит, слепой?

— Да нет, зрячий!

— А, понятно, полный идиот!

— Напротив, очень умный человек.

— Тогда, наверное, он Квазимодо и ты не видишь в нем мужчину, да?

— Ну что ты, он весьма привлекателен. Но у нас просто дружеские отношения.

– Ну, не знаю, может, я ваших европейских штук не понимаю. Но я точно не голубой, не идиот и определенно не импотент...

– Что ты хочешь этим сказать?

– Сказать – ничего. Я просто хочу тебя...

Я проснулась от странного звука, какого-то железного лязганья. И вдруг откуда-то из глубин памяти или даже подсознания всплыло: это разматывается цепь на вороте колодца! Боже, неужто еще есть такие колодцы? Я вскочила и подбежала к окну. Да, колодец, а у колодца в одних трусах стоит Костя. Вот он вытащил ведро и опрокинул на себя. Восторженно вскрикнул, видно вода холодная, и стал опять спускать ведро. Мне стало завидно.

Я завернулась в простыню и крикнула:

– Костя!

Он повернулся ко мне и выпустил из рук железную ручку. Ведро с грохотом ринулось вниз, а он медленно пошел ко мне, встал под окном. У меня захватило дух от выражения его лица.

– С добрым утром, Шадрина.

– Костя, я тоже хочу вот так, водой из колодца.

– Так в чем проблема?

Он протянул руки:

– Иди ко мне!

– Прямо в окно?

– Конечно, прямой путь всегда короче!

И он вытащил меня через окно и на руках отнес к колодцу.

– Но вода ледяная, учти!

– Ничего, выдержу!

– Ну смотри!

Он вытащил ведро.

– Не передумала?

– Нет!

На лавочке возле колодца стоял ковшик. Он зачерпнул им воду из ведра.

– Попробуй, а то потом скажешь, что я не предупредил...

Вода была ледяная, даже зубы заломило, но такая вкусная, кажется, я никогда еще не пила ничего вкуснее.

– Давай! – решительно заявила я и зажмурилась.

– С головой?

– Ой нет, с головой не надо!

– Слушаюсь. Ты простыню-то сними.

– Нет, не стоит...

– Да чего уж там! – ласково улыбнулся он. – Снимай, снимай, я тебя потом в нее заверну!

Он сам снял с меня простыню, и не успела я опомниться, как окатил меня ледяной водой.

Я взвыла:

– Ой! Ой!

– Тихо, весь поселок перебудишь! Рано еще! – И он накинул на меня простыню. – Ну как?

– Здорово!

– А еще разок слабо?

– Ничуть!

– Правда?

– Чистая правда.

Он опрокинул на меня еще одно ведро, а потом подхватил на руки и отнес в дом, на кровать, где мы и остались еще надолго. Но в половине десятого он сказал:

– В одиннадцать у меня репетиция.

Мы вдвоем мгновенно прибрались, успели даже выпить кофе с подсохшим лавашом и копченым сыром.

– Куда тебя отвезти?

– До первой стоянки такси.

– Ни в коем случае. Ты где обитаешь? На Сретенке? Я успею. На самый худой конец опоздаю на репетицию на десять минут. Не каждый день все-таки сбывается то, о чем мечтал тридцать лет. Должен заметить, что ушат холодной воды в иных случаях не охлаждает пыл, совсем даже наоборот, ты согласна?

## Глава восьмая
## ШКОЛЬНАЯ ПОДРУГА

Что это со мной? Я совершенно не в себе. Все время вижу перед собой его глаза, слышу голос, такой красивый, нежный, и по минуткам вспоминаю эту ночь... Наверное, все это зря, ничего хорошего это не сулит, но зачем думать о будущем, надо наслаждаться сегодняшним днем. Хотя, собственно говоря, сегодня наслаждаться я могу только вчерашним днем, да и то не днем, а вечером. И ночью. И ранним утром с ушатом холодной воды. А сегодня — после репетиции у него запись на телевидении, вечером спектакль, а после спектакля он уезжает в Петербург, где снимается в очередном сериале. И вернется только через два дня. Но обещал звонить. А вот Рыжий что-то не звонит. Хотя зачем мне Рыжий? Но все-таки, почему он не звонит? Странно, наверное, решил, что погорячился... Ну и прекрасно. Но что мне делать, куда себя девать? Я хотела вечером пойти в театр, посмотреть на Костю, но он мне категорически это запретил.

— Не смей, — сказал он. — Я не хочу, чтобы ты видела меня в этом спектакле, не люблю его. И вообще не смогу играть, если ты будешь в зале. Не вздумай прийти тайком, я тебя все равно учую и провалюсь. Поклянись, что не придешь.

Пришлось торжественно поклясться. Сидеть дома просто не было сил. А я ведь толком и не видела Москвы. Пойду погуляю, приведу в порядок мысли и чувства... Я быстренько приняла душ, переоделась и вспомнила, что надо зарядить мобильник. Но его в сумке не оказалось. Где же он? Кажется, я забыла его на даче у отца, потому что у Кости я его из сумки не доставала. Но без телефона я как без рук... И Рыжий наверняка звонил. Пришлось волей-неволей позвонить отцу.

— Папа!

— О, Динь-Динь! Как дела?

— Хорошо, спасибо. Папа, я, кажется, забыла свой мобильник у Мальвины на столе.

— Совершенно верно, я звонил тебе домой весь вечер, но напрасно.

— Да, я очень поздно вернулась.

— Тебя можно понять, он поистине неотразим, твой Костя.

— Папа, это совсем не то...

— Хорошо, хорошо, вот что, Динь-Динь, я скоро еду в город, может, мы пообедаем вдвоем, а? Ты еще не была в «Пушкине»?

— В каком Пушкине?

— Прелестный ресторан на Тверском бульваре. Приглашаю тебя.

— Спасибо, с удовольствием. Мне, кстати, никто не звонил?

— Кажется, нет. Итак, давай в два часа на углу, у магазина «Армения». Договорились?

— Конечно, только не забудь телефон. Положи его в карман прямо сейчас!

— Ты меня держишь за маразматика?

— О нет!

Почему-то после этой ночи встреча с отцом уже не вызывала никаких отрицательных эмоций, и не возникало ни малейшего напряжения. Подумаешь, пообедать с отцом в «прелестном» ресторане, что в этом особенного? И тут зазвонил телефон. Тося Бах.

— Динка, где тебя черти носят? Или просто к телефону не подходишь, а мобильник выключен, что за дела?

— Да замоталась я, Тоська, извини!

— Так и быть. Надеюсь, сегодняшний вечер у тебя свободен?

— Да!

— В таком случае записывай адрес, жду тебя к восьми часам! К ужину.

— Как прекрасно жить в Москве! Обедаю с отцом, ужинаю с подругой! Будет кто-то еще?

— Никого не будет, я просто жажду потрепаться с тобой как когда-то. А завтра можем съездить к моим на дачу, они страшно хотят тебя видеть! Ну все, я помчалась, еще куча дел. В восемь жду! Целую.

...– Ох, Динка, какая ты стала... Сразу видно – иностранка!

– Мне тут все говорят, что я иностранка, даже бабушка! А я совсем себя так не ощущаю. Мне тут хорошо...

– Да, выглядишь ты просто здорово, глаза блестят, и вся какая-то... Ты не влюблена часом? А? Ох, подозрительно... Кстати, тебя вчера Иванишин нашел?

– Да, – как можно безразличнее ответила я. Зачем всей Москве знать про наш роман? Да это еще и не роман. – Я была у отца на даче.

– И что?

– Ничего. Поговорили чуть-чуть, договорились встретиться, когда он вернется из Ленинграда.

– Из Ленинграда! Из Санкт-Петербурга, темнота!

– Знаю, но мне как-то непривычно еще.

И вдруг я поняла, что мне безумно хочется говорить про Костю, что-то узнать о нем, хоть я и понимала, что это ох какой нехороший признак – похоже, я здорово влюбилась. Кто бы мог подумать?

– Слушай, а он что, правда хороший актер?

У Тоськи сделался мечтательный вид.

– А черт его знает, какой он там актер! Но мужик – невероятный!

– В каком смысле? – испугалась я.

– Красив, сексуален и все такое... А то, о чем ты подумала, мне, увы, неизвестно. Я для него только старый товарищ! Но баб у него – тучи!

— Господи, откуда что берется, был просто смазливенький мальчик... Слушай, у тебя есть его фотография?

— Были где-то в журнале, я посмотрю. А ты что это так им вдруг заинтересовалась?

— Просто любопытно, что я в этой жизни упустила.

— Геморрой!

— Что? — не поняла я.

— Геморрой ты в жизни упустила!

— У него геморрой? Откуда ты знаешь?

— О господи! Ты с Луны свалилась? Теперь так говорят.

— Как говорят?

— Ну раньше говорили — морока, головная боль и все в таком роде, а теперь говорят просто — геморрой, или сокращенно гимор.

— Какая гадость!

— Ну извини, у нас сейчас еще и не такие гадости говорят. Ты пока что общалась со своими интеллигентными родственниками, довольно престарелыми, а пообщайся с молодежью — вообще ни фига не поймешь. Ты, например, понимаешь выражение «фуцин голимый»?

— Фуцин голимый? Это еще что?

— Да в том-то и дело, что сама не знаю! Уж лет десять слышу, а понять не могу. Одно знаю — это обидно, быть голимым фуцином.

— Бред!

— Что делать? Ох, Динка, у нас же тут все с ног на голову перевернулось.

— А я думала, наоборот, с головы на ноги!

— Ну, в принципе, конечно, сейчас все-таки мы ближе к норме. Но когда, считай с рождения, стоишь на голове, то потом трудно встать на ноги и научиться нормально ходить. Шатает, понимаешь ли...

Ох, как далеко мы ушли от Кости... Но вернуть ее прямо к разговору о нем опасно, она может что-то заподозрить. К тому же надо спросить и о ее жизни. Рассказ будет долгим, это я чувствовала. И грустным...

— Да понимаешь, все как-то по-идиотски сложилось, — вздохнула старая подружка. — Есть муж, но только в паспорте, есть сын — но он на меня насрал...

— То есть?

— Ну с мужем разбежались, это уже второй. Первый, отец Лени, вообще слинял неведомо куда... Даже алиментов не платил... Но черт с ним и с его алиментами, мне вскоре попался вроде бы приличный мужик, любил-обожал, Леньку как родного принял и тот к нему привязался, «папа, папа», а что ему, Федя появился, когда Леньке всего два года было, несмышленыш... Я счастлива была безумно, Маруся помогала растить его, мать тогда еще работала... А я училась то одному, то другому, времена-то поменялись, политика засасывала, а я, ох какая я рьяная демократка была...

— А теперь ты коммунистка, что ли?

— Боже упаси! Я и сейчас демократка, просто уже не такая рьяная... Не активистка...

— Понятно. Тось, а дальше-то что?

— Дальше? Федька начал погуливать. Я бы ничего не заметила, но нашлись доброжелатели...

— Больше всего на свете ненавижу доброжелателей! — вырвалось у меня.

— Понимаю. И разделяю, но куда денешься... Я хотела закрыть глаза, будто ничего не знаю, но не получилось. Врать не умею, в этом вся беда. Вот мало-помалу и дошло до расплева. И он слинял. Мы не разведены, но он живет с другой бабой, а я при пиковом интересе...

— Ну а сын?

— Сын связался с жуткой девкой, просто оторви да брось... Хамка, серая как валенок, ничего не знает и даже не хочет знать, грязнуха... Ужас! Но я честно попыталась с ней смириться, пустила в свой дом, а она...

— Что? — испугалась я. — Обокрала тебя?

— Нет, чего не было, того не было, но... Жила в доме как гостья, ни посуду помыть, ни сготовить, ни... Одним словом, когда я в корзине для грязного белья... Извини, но это соцреализм, короче — когда я там обнаружила ее менструальные трусы, ничем не прикрытые даже, я психанула и выгнала их...

— И что теперь?

— А они и рады. Подхватились и уехали.

— Куда?

— Сперва на Алтай подались. Эта гадина его в какую-то секту затянула. А теперь они со своим гуру в Тибете.

— А там с наркотиками не...

— Сейчас не знаю, а раньше нет...

— Он с тобой не общается?

— Поздравляет раз в год с днем рождения. Открытку присылает. И все.

— Сколько ему лет?

— Двадцать два.

— И он не учится?

— Учился, поступил на журфак, все честь по чести, пока эту сучку не встретил. Она ему мозги набекрень свернула, он университет бросил, говорил, что хочет бежать от суеты...

— Господи, Тоська, а может, надо бы его оттуда вызволить?

— Да как его вызволишь... Она его крепко держит, он парень красивый, умный...

— Ну, насколько я понимаю, эти качества ему там не пригодятся. У меня два студента тоже в Тибет ездили... Нормальные вроде ребята, но вернулись... Даже вспоминать неохота. Конечно, в Тибете есть и настоящие мудрецы, наверное, и чистые помыслами люди, но сколько же там всяких шарлатанов...

— Уж мои-то точно к шарлатанам попали, там эта девка верховодит, Ленька сам, может, и отличил бы овец от козлищ, но она ему глаза застит... Да ну, не хочу об этом говорить! Это ж нынче мода такая, способ убежать от ответственности за себя и близких... Все, хватит! Ну, расскажи о себе, я все, все хочу знать.

Я рассказала. Умолчав о событиях последних дней.

— Да, Динка, потрепала нас жизнь, но ты еще ого-го! А я...

— Не выдумывай, ты прекрасно выглядишь!

— А толку? Ну ладно, к черту! Давай поговорим о чем-нибудь другом. Ты знаешь, странное дело, я вот как вздумала организовать встречу, стала всех обзванивать, искать... Вообще-то картина неплохая складывается, вопреки ожиданиям. Помню, папа мне говорил: не стоит это затевать, либо никого не найдешь, либо только расстроишься, годы уж больно трудные выпали вам, но нет, многие очень даже неплохо устроены, многие уехали, и там тоже не пропали, вот как ты, например, но что интересно — девчонки наши... Только у троих из шестнадцати нормальная семья: муж, дети. У Таньки Скворцовой даже внучка родилась, а остальные — бобылки!

— Да?

— Представь себе! Замужем у нас Скворцова, Лушина и... да, Томка Ермакова. У этих все о'кей, а остальные...

— Погоди, а Надя Коваль, у нее же трое детей!

— А ты почем знаешь?

— Костя сказал, что она с ним в театре работает.

— Это правда, но муж у нее запойный, к тому же бабник жуткий и трое ребят на шее... Алинка Когтева вообще спилась... Сережа Филатов тоже спился. Говорят, бомжует где-то...

— Значит, лучше всех устроен Костя?

— Костя? Нет, он не устроен лучше всех, он просто самый знаменитый. А самый богатый у нас Тема Сударов. Полуолигарх!

— Как это полуолигарх?

— Ну, богатый, но на настоящего олигарха не тянет. Он, между прочим, спонсирует нашу встречу!

— А Вадик Первушин что?

— О, он большой босс на телевидении, Ванька Дрожжин в администрации президента... Лийка Биктемирова открыла в Москве несколько бутиков, красивая стала, шикарная, в рыжий цвет выкрасилась, ей идет, но тоже одна... Венька Гордон в Израиле, Милка Нейман тоже. Она, кстати, приедет, обещала. Она знаешь кто? Детский хирург... А своих детей нет. Не представляю Милку со скальпелем... В общем, пораскидало нашего брата...

— А сколько все-таки будет народу?

— Нас было двадцать девять в классе, так двадцать человек наберется.

— Это с Костей?

— Это без Кости, с Костей двадцать один! Но я уверена, он придет. Не упустит шанса тебя увидеть.

— Слушай, Тоська, я уже про всех все знаю, а вот чем ты занимаешься?

— Я? Издаю женский журнал!

— Как издаешь?

— Элементарно, я главный редактор!

— Здорово, это ж наверняка интересно!

— Да. Отвлекает... Как войдешь в редакцию, все посторонние мысли улетучиваются, домой добираешься часа в три ночи и падаешь. Нет ни времени, ни сил вспоминать, горевать, сожалеть. Как белка в колесе.

— Но как же при такой работе ты успела все организовать? — поразилась я. — У меня есть в Брюсселе знакомая, тоже главный редактор журнала, у нее времени не хватает ни на что, и это притом, что она издает журнал в Европе, а не в России, где, как я понимаю, бардак еще тот...

— Видишь ли, я зимой ногу сломала, сидела дома, руководила по телефону, на тусовки не таскалась, вот и решила... И потом, у меня золотая девочка помощницей работает. Маленькая, худенькая, страшненькая, но умна и расторопна. Ей понравилась моя затея, она мне помогала разыскивать ребят. Между прочим, она жаждет на тебя посмотреть!

— Господи, почему?

— Потому что влюблена в Иванишина, а он же... Да ты ж не знаешь, он тебе на всю страну в любви объяснился!

— Знаю, — засмеялась я, а внутри меня обдало жаром. Неважно, что на всю страну, важно, что было ночью и о чем знаем только мы...

– Что это у тебя глаза такие мечтательные сделались? Ты это в голову не бери. Костя хороший парень, но трепло редкое! И баб у него табуны. Не факт, что он в замоте вообще не забудет, что ты здесь, – с него станется. Роковой мужчина, вокруг него все время страсти кипят. Одна идиотка даже ему под машину кинулась, он чудом ее не сбил, другая обвинила его в изнасиловании, третья вешалась...

– Что за ужасы ты городишь, – засмеялась я, а у самой сердце ушло в пятки. Во что я вляпалась?

– Твое счастье, что он герой не твоего романа! Но парень он хороший, хотя, боюсь, слава его испортит...

– Вас слишком испортила слава, а впрочем, вы ждите, приду! – пропела я строчку из песни Вертинского, которым мы с Тоськой увлекались в ранней юности.

– А ты знаешь, Костя это поет иногда в концертах...

– Ах, он еще и поет!

– Представь себе. Я когда эту песню услышала, сразу о тебе вспомнила.

– Ну, тут уж я совсем ни при чем. – Теперь мне не хотелось говорить о Косте. Ничего хорошего я не узнала.

Мы проболтали до глубокой ночи.

– Динка, оставайся, я тебя не пущу, куда в такой час?

— Такси вызовем!

— Да нет, не стоит, поспишь тут, а утром мы с тобой что-нибудь грандиозное придумаем! У меня завтра первая половина дня свободная! Да ты уже носом клюешь.

Спать мне хотелось смертельно, и я согласилась. Уже положив голову на подушку, сквозь сон подумала: Рыжий опять не позвонил. Испугался, вдруг я приму столь опрометчиво сделанное предложение руки и сердца? А я ведь в тот вечер была близка к этому, он мне понравился, увлек, я же не знала, что на другой день встречу Костю...

А с утра завертелось! Тоська растолкала меня в половине восьмого и, не дав мне опомниться, не позволив даже глотка кофе выпить, запихала в машину и повезла в Абрамцево, где у ее родителей была дача и где нас, как оказалось, ждали к завтраку. Ее родители и Маруся выглядели очень неплохо для своих лет. Маруся напекла блинчиков с мясом, которые я обожала в детстве. Все было трогательно до слез. Тут мне радовались от чистого сердца, не боясь, что я чего-то потребую...

— Динуша, ты ведь в Маастрихте живешь? — спросил Николай Анисимович.

— Нет, я там работаю, а живу в Маасмехелене.

— Но ведь это неудобно, так далеко ездить? Кстати, я хотел спросить, ты знаешь там профессора Треера?

— Я с ним знакома, но, как говорится, шапочно.

— Ты могла бы передать ему от меня маленькую посылочку?

— Конечно, что за вопрос!

— Коля, зачем обременять Дину такой чепухой? — огорчилась Мария Анатольевна. — Он жаждет послать Трееру бутылку рябиновой настойки, которую делает наша Маруся. Треер, когда был здесь, столько ее выпил!

— Непременно передам!

— Тебя же, наверное, будут встречать и провожать мужчины, самой чемодан тащить не придется. Посылку ты сдай в багаж, это можно, Марусенька умеет так упаковать, что, даже если самолет потерпит аварию, бутылка не разобьется!

— Коля, типун тебе на язык! — возмутилась Мария Анатольевна. — Не слушай его, деточка! Но Маруся и в самом деле кудесница. Мы в позапрошлом году летали в Америку, Коля читал там лекции, так она напихала нам в чемоданы четыре банки вишневого варенья для Колиных племянников. Ни одна не разбилась.

— Ты ешь блинчики, ешь, чай, не разлюбила за эти годы! — приговаривала Маруся, подкладывая мне еще и еще.

— Не могу больше, лопну! — смеялась я.

После завтрака Мария Анатольевна повела меня показывать свои цветы и горестным шепотом рассказывала о внуке, о пошатнувшемся здоровье мужа, о том, что неустроенная Тоськина жизнь безмерно ее огорчает, о Марусе, которая стала невыносимо властной...

— Знаешь, детка, сейчас у нас все более или менее устроилось, а были времена, когда мы чуть ли не голодали, только благодаря Марусе и жили. А уехать, как другие, не могли, Колю не пускали никуда, а когда стало можно, сил уже не было, а тут совсем ничего не стали платить, Тоська гроши зарабатывала, и тут Маруся взяла все в свои руки, завела козу, кур, летом цветами торговала, зеленью всякой... Потом Николая Анисимовича стали приглашать лекции читать. И грант ему платят, да и я не сижу сиднем, меня пригласили читать курс в частном университете, там хорошо платят. Тьфу-тьфу, чтоб не сглазить, а Маруся власть из рук выпускать не хочет и такая самодурка стала... Зачем, говорит, вам эти дурацкие настурции, что с них толку, не продашь, лучше бы место под что-нибудь дельное освободили. А я обожаю настурцию!

— Динка, телефон! — закричала Тоська с террасы, где я оставила сумку.

Я извинилась перед Марией Анатольевной и с бьющимся сердцем схватила трубку, не успев даже взглянуть на номер.

— Алло, привет, Динь-Динь! Я соскучился.

— Привет, Рыжий. Куда пропал? — как можно более безразличным тоном спросила я.

— У меня тут был форс-мажор, но я звонил, только дозвониться не мог. Когда увидимся? Ты где сейчас?

– В Абрамцеве.

Я пришла в смятение. Мне хотелось его видеть.

– Надолго?

– Нет, во второй половине дня буду в городе.

– Я освобожусь не раньше семи, давай поедем на дачу к Барсику. Ты любишь печеную картошку?

– Терпеть не могу! – Это что у них тут, мода такая, соблазнять дам печеной картошкой?

– А шашлык? Я делаю классный шашлык!

– Нет, Рыжий, слишком много дачных радостей. Не хочу!

– У тебя что-то стряслось? Ой, прости, мне по другому телефону звонят, минутку!

Я слышала, что он с кем-то ругается на неважном английском.

– Извини, Динь-Динь, замотался совсем. Так я к вечеру придумаю что-нибудь и позвоню, только ты уж не выключай телефон.

– Что это за рыжий? – полюбопытствовала Тоська. – Где взяла?

Про Рыжего можно было рассказать старой подруге. Я и рассказала.

– То-то я гляжу, у тебя глаза мечтательные... Ну что ж, если хороший мужик, зачем его мариновать? Слушай, у меня идея! Я давно хотела открыть рубрику «Женщины эмиграции». Давай с тебя и начнем. Возьмем интервью, сделаем классный снимок...

– Забудь! – отрезала я.

– Почему?

— Не желаю привлекать к себе внимания. Ты представляешь себе, как оживятся наши пауки в банке? Зачем давать им новую пищу?

— Наплюй на них и разотри!

— Мне казалось, что я наплевала и растерла, но когда выяснилось, что они и тут успели нагадить... Не хочу! Я, Тоська, хочу любви! Да-да, в свои сорок два я хочу забыть о прошлом и...

— Тогда ты зря сюда приехала на встречу с прошлым.

— Нет, то прошлое я не хочу больше забывать... Я слишком часто забывала.

— Ты сама себе противоречишь!

— Да! Вероятно! Но... Ах, мне хорошо сейчас...

— Из-за Рыжего?

— И из-за него в частности, я сама не понимаю, что со мной... Хочется пуститься во все тяжкие, понимаешь?

— Да, прекрасно понимаю, вот и пустись, а для начала дай мне интервью. Ты же вроде говорила, что твоя паучья команда вся очень из себя возвышенная, так они мой журнал и в руки не возьмут.

— Он у тебя сильно желтый?

— Не сказала бы, но не без того, конечно. Надо же продавать товар. Ну, как ты нашла моих стариков?

— Потрясающе!

— Мама жаловалась на Марусю?

— Слегка.

— Милые бранятся — только тешатся... Динка, да что с тобой, ты какая-то возбужденная, такое впечатление, что тебе фитиль вставили... Это Рыжий тебя так возбудил?

— Нет, дело не в нем, просто тут столько всего... Мобильник опять запел.

— Еще кавалер? — рассмеялась Тоська.

— Не знаю, номер незнакомый.

На секунду я понадеялась, что звонит Костя, но нет...

— Дина Юрьевна? — спросил молодой женский голос.

— Да.

— Дина Юрьевна, это говорит Нелли, ваша сестра!

— Нелли? Как хорошо, а я как раз собиралась с тобой связаться, ты умница, что позвонила! Нам надо встретиться!

— Я тоже так думаю! — с явным облегчением сказала она. — Я не была уверена... как вы отнесетесь...

— Прекрасно, прекрасно я отнеслась! Когда и где встретимся? Вечер у меня занят, может, днем? Давай пообедаем где-нибудь в хорошем ресторане, я тебя приглашаю...

— Ну давайте!

— Ты знаешь Дом литераторов?

— Да. Но это дорогой ресторан.

— Ничего, осилю, мне он, кроме всего прочего, дорог как память.

— Мне тоже, — засмеялась она.

— Тогда в три, на улице Воровского у входа.

— На Поварской! — поправила меня младшая сестра. — Но мы узнаем друг друга?

— Конечно, я уже слышала, что ты писаная красавица!

— А я видела ваши фотографии в детстве...

— Ну все, до встречи, сестренка!

— Да, соскучиться тебе тут не дают! — покачала головой Тося.

— И не говори! Слушай, ты когда в Москву поедешь? Мне же надо на встречу с сестрой явиться в полном блеске, сама понимаешь.

— Она красивая, я ее видела несколько раз на всяких тусовках... С тобой ни малейшего сходства. Ты шатенка, она блондинка, ты невысокая, она верста коломенская.

— Ну уж и верста! — оскорбилась я за незнакомую единокровную сестру.

— Метр восемьдесят, это, по-твоему, не верста?

— А ты что, мерила?

— Может, и метр восемьдесят три! Но хороша! Очень современная девка.

— А ее фамилия тоже Шадрина?

— Нет, она носит фамилию матери, Бурмистрова.

— Да? Здорово же ей папочка насолил, по-видимому... Мне когда-то даже в голову не пришло сменить фамилию.

— Ну, милая, нынешним такое в голову взбредает, что нам и не снилось. Ну что, думаю, минут через двадцать поедем. Пошли, попрощаемся со стариками...

— Они не обидятся, что мы так скоро?

— Нет, у них тут своя жизнь. Они были рады тебя повидать, но...

В самом деле, Мария Анатольевна и Николай Анисимович с пониманием отнеслись к нашему отъезду, но взяли с меня слово, что я обязательно приеду к ним обедать на днях и возьму рябиновую настойку для Треера.

— Хорошо у них тут, правда? — спросила Тоська, когда мы выехали на шоссе. — Но больше двух часов я не выдерживаю, слишком хорошо для меня... Мне надо вариться в каком-то вонючем борще до полного изнеможения, тогда я как-то могу существовать. Покой мне противопоказан. И судя по выражению твоего лица, тебе тоже.

— Да вообще-то нет, я как раз в последнее время живу очень спокойно...

— Ага, оно и видно, в тюрьме сидишь за хулиганство.

— Брось, это ерунда. Но тут меня и вправду затянуло в водоворот и крутит, и крутит, а мне почему-то нравится...

## Глава девятая
## ОДНОГО ПОЛЯ ЯГОДЫ

Я увидела ее издали и сразу узнала. Высокая блондинка с немыслимой длины и красоты ногами стояла у входа в ресторан, нетерпеливо помахивая крохотной сумочкой на длинной цепочке. И озиралась по сторонам. Я прибавила шаг и помахала ей. Она сорвалась с места и в три прыжка оказалась рядом.

— Дина Юрьевна? — выдохнула она.

— Какая я тебе Юрьевна? Просто Дина. Ну, здравствуй, давай поцелуемся, что ли?

— Какая вы... — удивленно проговорила она, когда мы троекратно расцеловались.

— Какая? — улыбнулась я. Она мне понравилась.

— Сразу видно, что иностранка!

— Да господи, что за бред, мне тут все говорят — ты иностранка...

— Я хотела сказать вам комплимент... А вот бабушка наверняка сказала это с ироническим осуждением, да?

— Совершенно верно, — засмеялась я. — Ну пошли, что мы тут стоим.

— Хорошо, что вы не опоздали, а то эти козлы, — она кивнула в сторону швейцара и охранника, — уже, по-моему, решили, что я путана и жду клиентов.

— Они тебе что-то сказали?

— Да что вы, я бы им так сказала...

Передо мной они, вежливо улыбнувшись, распахнули тяжелую дверь. Ах, сколько воспоминаний связано с этим зданием. Я ходила сюда еще совсем ребенком с отцом и матерью, потом юной девушкой с Андреем... Внешне тут почти ничего не изменилось, даже лампы на столах, казалось, были прежними. Изменилось только одно — раньше тут всегда было очень много народу, а теперь, кроме нас с сестрой, не было ни души. Чрезвычайно любезные молодые официанты сразу принялись в четыре руки за нами ухаживать.

— Ты что-нибудь выпьешь? — спросила я. — И пожалуйста, говори мне ты.

— Здорово! Тогда давай выпьем вроде как на брудершафт, только без дурацких поцелуев. И лучше всего водки. Вы... То есть ты пьешь водку?

— Пью. Послушай, а кто тебе дал мой телефон, папа?

— Нет, я с ним не общаюсь. Это вышло случайно. Одна моя знакомая работает в журнале, где главный редактор ваша подруга, Антонина Бах. Вот она мне и сказала, что моя старшая сестра в Москве. И дала ваш... твой телефон. Ой, может, не надо было говорить про нее? Ей влетит чего доброго?

– Наоборот, объявим благодарность. Мне все, и папа, и Мальвина...

– Мальвина?

– Я бабушку всегда звала Мальвиной...

– Дина, а как она тебя встретила, бабка?

– Что ты имеешь в виду?

– Ну она обрадовалась, заплакала, обняла тебя? Или пафосно прижала к груди блудную внучку?

– Точно! – засмеялась я. – Даже что-то такое сказала про блудную внучку. Но о тебе сообщила, что ты настоящая красавица. Впрочем, все, кто тебя видел, так говорят. И папа тоже говорил, и Тося. Теперь вижу – не врали! Кстати, ты очень похожа на папу!

– Говорят. А ты и вправду на встречу одноклассников приехала?

– Правда.

– Тебе это интересно?

– А черт его знает... – вдруг засомневалась я. Мне показалось, что интерес к этой встрече немного ослаб.

– По-моему, чистейший маразм. Собираются старые люди и как полные придурки начинают вспоминать, как один другому подножку подставил, а третий подложил училке на стул кнопку... Что хорошего?

— Знаешь, — засмеялась я, — может, ты и права, но я ведь уже приехала и не жалею. А поводом к приезду послужила именно эта встреча. Значит, в тот момент мне захотелось увидеть всех.

— А вы уже кого-то видели из своих?

— На ты, пожалуйста! — напомнила я.

— Ах да, конечно!

— Да, двоих из класса уже видела.

— И как впечатления?

— Весьма отрадные!

— Правда?

— Ей-богу. Ты думаешь, мы уже какие-то совсем замшелые инвалиды?

— Ну, на тебя глядя, так не подумаешь! Ты еще классная. Ой, Дина, я так давно хотела с тобой познакомиться! В детстве столько о тебе слышала.

— Плохого?

— Ну не то чтобы...

— Расскажи, интересно же!

— Ну, бабка что-то говорила в детстве, что у меня есть сестра за границей, вышла замуж за иностранца, вильнула хвостом и обрубила все концы.

— В известном смысле так оно и было.

— Но я тогда мало на эту тему думала, а когда мне было уже лет десять, отец еще с нами жил, он вернулся из поездки в Париж, и я подслушала, как он маме рассказывал, что совершенно случайно встретил тебя в ресторане, что ты стала исключительно интересной женщиной, но холодной, закрытой, совершенно чужой... Что он просто ума не мог приложить, как с тобой общаться, и все такое... Ну, я тогда тебя в душе осудила! А через год папочка слинял от нас, и я вдруг поняла, что ты, наверное, тоже на него обиделась, как я... Я стала у мамы спрашивать, она мне рассказала, что он к ней ушел не от твоей мамы, а от еще другой женщины, у них там вроде ребенок умер...

— Да, она, кстати, была очень милая. Ну а бабушка как себя вела?

— Сначала вроде ничего, брала меня на дачу на каникулы, один раз съездила со мной в Париж к своей подруге на две недели... А я там все время смотрела по сторонам, мне казалось, я обязательно встречу свою сестру. А ты вообще знала, что я существую?

— Узнала, только когда встретилась с отцом. У нас тогда и в самом деле возникла некоторая неловкость, общаться было трудно, у меня создалось ощущение, что я чему-то помешала, или, как говорили в юности, сломала ему кайф.

— Теперь тоже так говорят.

— Так что было дальше?

— Дальше? Бабка на год уехала в Зальцбург и в Вену, обещала, что на каникулы обязательно меня туда пригласит, а сама и не вспомнила... Потом выяснилось, что папаша уже закрутил с этой своей блядью...

— С какой блядью?

— Да с Аришей! И там уже ребеночек наметился, не до меня стало. Ничего, отольются коту мышкины слезки. У него от рогов голова скоро отвалится.

— А ты почем знаешь?

— Да уж знаю. Говорят, папочка даже сдавал анализы на ДНК, чтоб убедиться в своем отцовстве.

— Да Денис похож на него как две капли воды!

— За что купила, за то и продаю.

— А мне одна дама говорила, что видела его с тобой в театре года два назад.

— Было такое дело. Только я пришла туда с подругой, а он был один, мы и поговорили в антракте, как добрые знакомые.

— Он мне с большой грустью признался, что вы мало общаетесь.

— Его грусти надолго не хватает. Он жизнерадостный тип.

— Ну и слава богу!

— Вообще-то да. Дина, а мне моя мама говорила, что твою маму он свел в могилу. Это правда?

— Я тоже так думала...

— А теперь уже не думаешь?

— Не знаю. Понимаешь, Нелли, я ненавидела его, и любила, и опять ненавидела, а вот вчера пообедала с ним вдвоем и поняла: нет во мне ненависти, перегорело.

— Но и любви нет?

— Не могу так сказать, мне было его жалко. Он очень слабый человек, им вечно кто-то управляет, то мать, то какие-то бабы... Ни моя мама, ни Варя, ни твоя мама, видимо, не сумели взять его в руки, он подсознательно именно таких и выбирал... стремился к свободе, а вот попал к Арише, которая им управляет, и, кажется, счастлив.

— Это что, христианское всепрощение?

— Да нет, просто усталость и понимание того, что горбатого могила исправит. Но, в конце концов, он наш отец, он нас породил, и, несмотря ни на что, нам совсем неплохо на этом свете, правда? Так давай за это и выпьем!

— Но это получится, что мы за него пьем?

— Ну и что? За него и выпьем! Пусть живет и радуется, пока может. Я теперь никому зла не желаю, а уж ему подавно. Он у нас красивый, талантливый, обаятельный... Ну а недостатки есть у всех!

— Ладно, выпьем, пусть живет, но я пока еще такой мудрости не набралась, мне еще обидно за маму и за себя тоже...

— Еще позавчера мне тоже было обидно... А теперь — нет! Они уже старые, Нелька, и отец, и бабка, пусть... Расскажи лучше про твою маму, — попросила я.

— А ты ее не знаешь разве?

— Я видела ее раза два, она была еще совсем молодая, очень застенчивая... И я не помню, если честно... Мне тогда не до нее было.

— Жалко, что ее сейчас нет в Москве, я бы хотела вас познакомить. Бабка, наверное, говорила про нее гадости, что она ждет не дождется наследства и все такое?

Я замялась.

— Ага, значит, говорила! Как ей не стыдно! Да мама вообще знать о них ничего не хочет. И потом, у мамы прекрасный муж, состоятельный человек... Просто они как-то встретились с бабкой на какой-то тусовке и разговорились. Она ведь раньше к маме хорошо относилась. Так вот, на бабке была шикарная брошка с изумрудами, она ведь получила большое наследство от своей старшей сестры, которая, оказывается, жила в Португалии, но этот факт всегда тщательно скрывали...

— Я ничего не знала. Так вот откуда эти драгоценности...

— Да! Бабке целая шкатулка досталась. Ну мама ей что-то про брошку сказала, красивая, мол... А бабка возьми и скажи: «Эту брошку я оставлю твоей дочери». Мама оскорбилась, потому что бабка не сказала «моей внучке» или «Нелли», а как будто открестилась от меня: «Твоей дочери». А мама вспыльчивая, ну и сказала ей, что вообще-то мне не только брошка будет причитаться... ну, в наследство... Просто со злости ляпнула. Ну тут и пошло-поехало... Мне мама когда рассказала, я сразу решила: не возьму у них ни копейки. Пусть подавятся своими изумрудами. Я сама себе заработаю или мужика с деньгами найду, но у них... Никогда и ни за что!

— Я вот тоже отказалась от сапфирового гарнитура, — засмеялась я.

— Серьезно? Здорово! Мы с тобой одного поля ягоды!

Мы долго говорили, не могли наговориться, и во многих вопросах наши мнения удивительно совпадали. Странно, Нелли была всего на полтора года старше Майки, но гораздо взрослее, рассудительнее. Черт побери, а ведь у меня вполне могла быть такая дочь...

— Я тебя обязательно познакомлю с Майей и с Мурой, у них такой чудный дом, теплый, гостеприимный...

И едва я вспомнила о семействе Муры, как позвонил Рыжий.

— Привет, Динь-Динь! Ты где сейчас?

— В ресторане.

— С кем?

— С сестрой.

— А, с сестрой можно. Ты знаешь, что я придумал? Ты танцевать любишь?

— Танцевать? — ахнула я. — Я лет пятнадцать уже не танцевала.

— Вот и хорошо, значит, потанцуем! Если хочешь, можешь взять с собой сестру!

— Рассмотрим такой вариант!

— Значит, ты согласна танцевать?

— Согласна, Рыжий!

– А я думал, ты меня обольешь презрением! Я тебя обожаю с каждой минутой все больше! Значит, так, я освобожусь часам к семи и заеду за тобой. Ты где будешь к тому времени? Дома?

– А ты позвони.

– Есть.

– Дина, у тебя хахаль в Москве? – восторженно захлопала в ладоши Нелли.

– Пока еще только претендент на звание хахаля!

– Претендент на звание хахаля? Клево! Слушай, я возьму это на вооружение.

– Кстати, имеешь шанс с ним познакомиться.

– То есть?

– Он пригласил меня с сестрой пойти куда-то потанцевать.

– Во дает! А сколько ему лет?

– Сорок три.

– И ты возьмешь меня с собой?

– Почему бы и нет?

– Ну, я же моложе... – она лукаво на меня посмотрела.

– И моложе, и несравненно красивее, но если он клюнет на это, значит, никогда не получит почетное звание моего хахаля. Только и всего.

– Ух ты! Класс! И тебе не будет жалко, если я его отобью?

– Мне будет жалко потерять тебя, едва только обретя.

— Ага! Значит, тебе и его жалко потерять?

— Нет, его не жалко!

— Неправда. Это нелогично!

— Для меня — логично!

— Ну что ты лезешь в бутылку? — расхохоталась Нелли. — Никуда я с вами не пойду, просто не могу, это раз, у своих я мужиков принципиально не отбиваю, это два, а сорок три года для меня — безнадежная старость! Мне эти комплексующие папики не нужны триста лет. Просто я тебя испытывала. Заведешься ты или нет...

— Значит, по-твоему, сорок три года — это безнадежная старость? — улыбнулась я.

— О, мне в принципе нравятся только свежие парни, не потасканные... А вот Злата, моя подружка, она как ненормальная втюрилась в одного артиста, у них роман бешеный, так ему сорок два, он, правда, интересный, талантливый, но все равно...

Меня вдруг слегка затошнило от нехорошего предчувствия.

— И что это за актер? Известный?

— Ты разве наших актеров знаешь? Константин Иванишин. Ой, погоди, мне же Наташка говорила, что он тоже ваш одноклассник, да?

— Да!

— Он тебе нравится?

— Да я его еще не видела... И что, у них серьезный роман?

— Ну, он с ней спит, это как, по-вашему, серьезный или нет?

— А по-вашему?

— По-нашему бывает всяко... Можно спать с парнем и ни во что это не ставить, а можно и чокнуться, вроде Златки.

— Златка, значит, чокнулась?

— Ага!

— Она красивая?

— Ну, это дело вкуса. Такая жгучая Карменсита...

— Понятно. Она собирается за него замуж?

— Ну, собираться-то можно, но он не собирается на ней жениться и прямым текстом это заявил, прежде чем с ней трахнуться.

— Что ж, по крайней мере, честно. Но по этому раскладу я понимаю, что не столько он ее в постель затащил, сколько она его?

— Это точно! Но ей понравилось...

Мне тоже, подумала я. Но, естественно, промолчала.

— И давно у них роман?

— Полгода, наверное... Но у него и другие есть... А твой претендент на звание хахаля, он не актер?

— Нет, он какой-то предприниматель, как я понимаю. Что-то связанное с компьютерами.

— Не бандит?

— В каком смысле?

— В прямом!

— Я не понимаю.

— Ах, ну да, ты же иностранка! Так вот, у нас сплошь и рядом бывают очень даже приличные с виду мужики, а на самом деле — бандиты. Ну, они не обязательно сами участвуют в разборках, но их бизнес — бандитский. Я сама не очень в этих вещах разбираюсь, если честно, тут зимой ко мне клеился один, так меня предупредили — имей в виду, это бандит.

— И что?

— Да он старый был для меня, и вообще... Но потом его и вправду грохнули.

— Убили? — ахнула я.

— Ну да! Я тебе больше скажу, — она понизила голос, — я не поручусь, что мамин муж не бандит. Не поручусь! Хоть и очень приличный мужик. Маму любит, ко мне хорошо относится, оберегает...

— Боже мой!

— У нас теперь разобраться трудно. Да ладно, все не так страшно, есть и нормальные предприниматели, твой не обязательно бандит. Он на какой машине ездит?

— На «саабе», а что?

— Живи спокойно, «сааб» не бандитская марка.

— Господи, а какие марки бандитские?

— Ну, «мерсы», «ауди», «бэмвэ», джипы, «гранд-чероки», например, а у самых крутых и «линкольны» встречаются, и даже «бентли».

— А твой отчим на чем ездит? — улыбнулась я.

— На вольвешнике, как и папашка.

— Ладно, оставим эту тему. Скажи лучше, у тебя постоянный парень есть?

— Был. И весь вышел. Я ему дала под зад коленкой. Но давай сейчас на эту тему не будем. Неинтересно. Я с сестрой встретилась, стоит ли говорить о всяком дерьме? Слушай, если у тебя с твоим претендентом что-то получится и ты замуж за него выйдешь, то где будешь жить? В Москве или в своей бельгийской дыре?

— Ну, милая, так далеко я не заглядываю! — засмеялась я. — Лучше расскажи про Злату, какая она...

— Зачем тебе? Ты на Иванишина нацелилась, что ли?

— Что за чепуха! — притворно возмутилась я. — Просто интересно, какие у тебя подруги.

— Ну, у меня вообще-то много подруг, но Златка из самых близких. Она хорошая девка, только упертая и совершенно на этом Иванишине помешана. На все его спектакли бегает, все фильмы на видео пишет, а потом ночами смотрит...

— А он хороший актер, как по-твоему?

— Ну ничего, но есть не хуже!

— Говорят, он стал очень красивый...

— Красивый, да. Но тоже есть не хуже, Домогаров, например, или Лазарев-младший. Мне лично больше всех Сидихин нравится, а маме — Певцов. А вообще лучше всех — Меньшиков! Это — космос!

– Что значит – космос?

– Ну ты что, «Утомленные солнцем» не видела?

– Нет.

– С тобой все понятно! Там, где ты сейчас живешь, видак есть?

– Есть.

– Я тебе подборочку фильмов сделаю, все узнаешь, всех увидишь, просветишься. У нас актеры мирового класса есть! Маковецкий, Машков, Миронов. Но для меня первый номер – Меньшиков. Гениальный артист. Твоему Иванишину и не снилось. А в театр сходить не хочешь?

– Хочу, просто еще не успела, столько всего...

– Ну, сегодня вечер у тебя занят, а завтра?

– Не знаю пока.

– Не занимай! Я тебя куда-нибудь свожу, попробую в Ленком или к Фоменко.

Так, значит, в этой стране есть все-таки девушки, не помешанные на Иванишине, это утешает. Но прошло уже больше суток, как мы расстались, а он не позвонил. Может, и к лучшему? У него от двадцатилетних девочек отбою нет, а у Рыжего, кажется, всего одна, и то двадцати шести лет, что все-таки несколько ближе ко мне...

– Ты о чем задумалась? – прервал мои размышления голос сестры.

– Да так, не обращай внимания.

– Какая жалость, что у меня сейчас сессия, я не смогу тебе много времени уделять...

– Ничего, ты приедешь ко мне в Бельгию, и мы пообщаемся.

– Ой, правда? Ты серьезно? Ты хочешь меня пригласить?

– Хочу! У меня большой дом. Поживешь, поездим с тобой... Я тебе пришлю приглашение. Если твоя мама позволит.

– Позволит! Конечно, позволит! Мне уже двадцать лет, и в прошлом году мы со Златкой одни ездили в Грецию! Кайф! А у тебя какая машина?

– «Пежо».

– Дашь порулить?

– У тебя права есть?

– Спрашиваешь! Ой, Динка, я такая счастливая, у меня наиклевейшая сестра!

– А если одновременно с тобой приедет еще и Майка? Ты возражать не будешь?

– С какой стати? Вдвоем нам веселее будет. Ты ж наверняка в какой-то момент скажешь: ах, я устала, ах, мне это уже не по возрасту! А вдвоем, да еще если ты нам свою машину дашь...

– Свою не дам! Дам «опель» покойного мужа. Хватит с вас. Майка, кстати, фантастически водит машину.

– Я тоже, у меня только опыта мало. Мама боится, чтоб я по Москве ездила. Слушай, а у вас там, говорят, в кафе можно травку покурить свободно?

– Нелли!

— Ой, не начинай, думаешь, я травку не пробовала? Это ж ерунда! И дело не в кайфе, а просто интересно, как это — прийти в кафе и травку заказать. А ты сама не пробовала?

— Пробовала когда-то. Никакого впечатления.

— А посильнее что-нибудь пробовала?

— Да, в Мексике меня угостили пирогом с галлюциногенными грибами.

— И что?

— Ощущение отвратительное.

— А кайф был?

— У меня — никакого. Состояние, как после тяжелого отравления. Все, тему закрываем.

— А у тебя какой дом? Расскажи, чтобы я могла себе представить, как приеду. Расскажи, расскажи!

Я засмеялась:

— Дом у меня двухэтажный. На первом этаже гостиная с камином, столовая, мой кабинет и большая кухня. А наверху три спальни. Есть еще подвальный этаж, там стоит стиральная машина, холодильник для припасов, ну и гараж.

— Ух ты! И зачем тебе одной такой домина?

— Сама не знаю... Я его покупала в таком состоянии, что... Он недорого стоил тогда и очень мне понравился.

— А в каком состоянии ты его покупала?

Она ничего не знает. Надо рассказать, чтобы не возникло недоразумений.

— Видишь ли, когда умер мой муж...

Выслушав меня, она твердо заявила, положив руку мне на плечо:

— И тебя это мучает, да? Ты не права, такие вещи надо проносить мимо рыла!

— Что?

— Мимо рыла! То есть не брать в голову, плевать с высокого дерева! Про меня тоже всякие гадости говорили, особенно когда я стала «Мисс Университет». Мне мама тогда сказала: «Тебе, Нелька, сейчас начнут завидовать, будут распространять всякие небылицы, не обращай внимания, не порть свои молодые нервы, они тебе еще в жизни пригодятся в более серьезных случаях».

— У тебя умная мама. А я вот не справилась.

— Да, ты зря дала слабину, уехала, им же только лишняя пища... Мол, слиняла, значит, чувствует свою вину.

— А вот на это мне уже наплевать. Мне главное — не видеть их рожи. И мне там хорошо, спокойно. Ты котов любишь?

— Котов? Каких котов?

— Ну обычных. У меня собака и два кота!

— А, обычных! Обычных обожаю! У тебя как их звать?

И разговор перешел на собак и кошек.

## Глава десятая
## СЧАСТЛИВОГО ВОЗВРАЩЕНИЯ!

Встреча с сестрой дала немало пищи для размышлений, но поскольку в родном городе у меня, как здесь теперь выражаются, съехала крыша, то размышления эти свелись в результате к одному — как мне вести себя с Рыжим? И с Костей, который все не звонит, хотя должен был бы, по крайней мере, мне так казалось и так хотелось. Но с другой стороны, если у него нет отбою от девочек, то на что ему я, сорокадвухлетняя «женщина с прошлым»? Он осуществил свою давнюю мечту, трахнул наконец Динку Шадрину, вот и славно! И все эти разговоры о любви не более чем... разговоры о любви. Просто слова... А я? Что ж, буду считать, что я тоже преуспела — переспала со знаменитым актером, красавцем, мечтой массы женщин, и надо этим удовлетвориться. Причем я с полным правом могу считать, что это я снизошла до него. Но один раз, и хватит. Эту ночь надо записать себе в актив и жить дальше. Поглядим, что там будет с Рыжим. А Иванишин —

пройденный этап. Итак, мы идем куда-то танцевать? И как надо в таком случае одеться? Понятия не имею, как тут теперь одеваются на танцы. А впрочем, мне плевать, как тут одеваются, я иностранка! Светло-серый шелковый костюм с черным топом, скромно и элегантно, на все случаи жизни... Интересно, понравится мне сейчас Рыжий, как понравился в нашу первую встречу и особенно во вторую? Но то было до Кости... Стоп, кто такой Костя? Некогда влюбленный в меня смазливый сопляк. А больше я ничего о нем не знаю и знать не хочу! Ну поддалась сумасшедшему сексуальному обаянию, а кто бы не поддался? И все, Дина, и все!

Рыжий позвонил снизу:

– Динь-Динь, я тут. Спускайся!

Он стоял возле своего «сааба». На сей раз водителя не было. При виде меня просиял.

– Как я соскучился, Динь-Динь! Ты сегодня такая... шикарная...

Он расцеловался со мной, как со старинной подружкой.

– До чего я рад тебя видеть! Как ты тут без меня жила?

– Муторно, Рыжий, столько встреч, столько волнений... Родственники, одноклассники, минуты спокойной не было. А что у тебя за форс-мажор? Неприятности?

– Ерунда! Просто пришлось провести одну операцию.

– Хирургическую?

– Ну, в известном смысле, – улыбнулся он. – Значит, едем танцевать?

– Ну если ты хочешь!

– Понимаешь, я сам не знаю... Вообще-то надо бы поговорить, а танцы и разговоры плохо сочетаются. Но с другой стороны, безумно хочется обнять тебя на людях на законном основании.

– Тебе обязательно обнимать меня на людях? – рассмеялась я. Мне было с ним легко.

– Сначала – да. Чтобы понять, как ты это воспримешь.

– То есть?

– Ну, если я тебя обниму без людей, я за себя не ручаюсь, пусть даже тебе это не понравится.

– Рыжий, я тебя обожаю! Обними меня скорей, я уверена, мне понравится. И срочно поцелуй!

Он резко затормозил.

– Я идиот, да?

– Есть немножко!

И мы стали целоваться в машине на Садовом кольце. Мне и вправду понравилось. Странная, наверно, картинка – стоит на Садовом кольце черный «сааб», а в нем двое немолодых людей целуются самозабвенно, как школьники.

– Эй, Рыжий, полегче, ты меня задушишь! И люди кругом!

– Плевать!

Вдруг кто-то постучал в стекло. Мы отпрянули друг от друга. Милиционер! Молоденький парнишка.

— Тебе чего, командир? — спросил Рыжий без тени смущения.

— Извиняюсь, тут стоянка запрещена!

— Да? Прости, командир, не заметил. Готов уплатить штраф.

Парнишка покраснел, но сказал:

— Придется, гражданин! — И закашлялся.

Рыжий сунул ему какие-то деньги.

— Я свободен?

Тот взял деньги, еще больше покраснел и пробормотал:

— Не нарушайте больше, папаша!

Мы чуть не умерли со смеху.

— А что, ему лет двадцать, вполне мог бы быть моим сыном, — покачал головой Рыжий. — Динь-Динь, я люблю тебя!

— Уж так прямо и любишь?

— Так прямо и люблю!

— А танцевать поедем?

— Ну, в принципе... уже не обязательно, но если ты хочешь...

— Не обязательно!

— Но поговорить надо!

— Говори!

— Нет, обстановка не та. Поехали куда-нибудь, я есть захотел.

— Вообще-то я тоже. Это после твоих поцелуев...

— Динь-Динь, не буди во мне зверя!

— А разве он еще не пробудился?

— Слушай, это бесчеловечно!

— Ладно, живи. Куда поедем?

— Это не проблема. Тут неподалеку есть кабачок. Вкусно кормят, и там тихо.

— Согласна!

Кабачок и в самом деле был приятный, народу мало, тихо и уютно.

Сделав заказ, Рыжий сгреб мои руки, сжал их и, глядя мне прямо в глаза, сказал:

— Знаешь, Динь-Динь, про какую операцию я говорил?

Я вдруг испугалась.

— Нет, откуда?

— Я съездил к своей... девушке, она сейчас живет за городом... И сказал ей, что все... Что я встретил женщину... Ну и все такое...

— Господи, зачем?

— Динь-Динь, я хочу прийти к тебе свободным... совсем... Чтобы ты не думала... Вот!

— Рыжий, ты нормальный? Сколько ты с этой девушкой знаком?

— Три года.

— Она тебя любит?

— Откуда я знаю? И потом я-то ее не люблю.

— Но ведь ей, наверное, больно?

— А разве бывает так, чтобы никому не было больно?

В этот момент нам подали окрошку. В ней плавали кусочки льда.

— Рыжий, но ведь я тебе ничего не обещала, а ты сразу помчался докладывать своей девушке... Не слишком ли скоропалительно? Ты что, вообще такой, да? А если года через два ты встретишь еще какую-то женщину, которая тебе понравится, ты сразу придешь ко мне и все расскажешь?

— Исключено!

— Почему?

— Потому что со мной такого еще не было и не будет!

— Ерунда! Когда влюбляешься, всегда кажется, что такого еще не было, а потом... Все повторяется, Рыжий.

— Тоже мне Василиса Премудрая! Много ты понимаешь! Но даже если допустить, что ты права, то разве не лучше сразу честно признаться, чем годами тянуть резину, изменять тайком и все такое?

— Слушай, а как ты с такими воззрениями бизнесом занимаешься? Ты по определению должен прогореть. И я теперь понимаю, почему ты бросил флот, небось резал правду-матку начальству?

— Было и такое, — засмеялся он. — Но дело не в этом. Ты скажи — пойдешь за меня замуж? Ну не делай таких больших глаз, я ж не настаиваю пока на



7-4

оформлении отношений, пока так поживем, просто ты считай себя замужней женщиной, а я буду считать себя женатым. И все!

— Рыжий, а тебе, наверное, очень шла морская форма?

— Почем я знаю?

— Уверена, ты был неотразим! У тебя есть фотографии в форме?

— Есть, конечно.

— Покажешь?

— Если хочешь. Ешь окрошку, вкусная.

— Знаешь, сколько лет я не ела окрошки? Я и забыла, какая она бывает. Ох, и правда вкусная!

— Ты мне не ответила!

— Рыжий, я так не могу! У меня в голове полный сумбур! Знаешь, сколько за эти дни на меня обрушилось? А тут еще ты со своей любовью... Дай в себя прийти, разобраться... А ты насел на меня, как...

— Хорошо, сколько времени тебе нужно?

— Месяц!

— И не мечтай! Максимум неделю! И то... я с ума сойду!

Запел мой мобильник.

— Динуша, это Мура! Где ты, деточка?

— Мура, привет, а ты где?

— Только что приехала на дачу, своих еще оставила на два дня, а сама вернулась, я ж там никого почти не знаю, а тут ты... Как, что? С отцом виделась? Когда приедешь? Может, прямо сегодня? Я могу тебя встретить на станции!

— Я тебе перезвоню через десять минут, хорошо?

— Жду!

— Что случилось? — хмуро осведомился Рыжий.

— Тетка вернулась. Твоя соседка, кстати сказать.

— И что?

Я не успела ответить, как резко зазвонил его телефон. Да, с этой современной техникой нигде не спрячешься.

— Алло! — раздраженно бросил он в трубку. — Что? Когда? Ну, блин, что за дела! Ладно, скоро буду!

— Что-то случилось? — спросила я, когда он сунул телефон в карман пиджака.

— Черт бы все побрал! Вот невезуха!

— Что случилось?

— Друг попал в неприятную историю. Надо выручать, ничего не попишешь. Видишь, Динь-Динь, все получается, как ты хотела.

— О чем ты? Я не хотела, чтобы твой друг попал в беду!

— Но ты хотела время на размышление. Считай, дня четыре или пять у тебя есть. Да ты ешь-ешь, я лечу только ночью. Говоришь, твоя тетка вернулась, хочешь, отвезу тебя к ней, я все равно туда поеду. У меня все вещи там...

— А куда ты летишь?

— В Севастополь.

Он был уже не здесь, не со мной. Но я его понимала. И даже рада была этой передышке.

Он молча доел окрошку, попросил официантку побыстрее принести горячее.

— Прости, Динь-Динь, такое дело.

— Я понимаю, Рыжий, и безмерно ценю...

— Что ты ценишь? — не понял он.

— Вот такую беззаветную готовность кинуться на помощь... Это тебе в плюс, Рыжий! — Я подмигнула ему, чтобы немного разрядить атмосферу.

Он улыбнулся, но улыбка вышла грустная, и у меня внутри все перевернулось.

— А что там случилось, можешь рассказать?

— Пока толком не знаю, но его арестовали. Погоди, Динь-Динь, я должен сделать несколько звонков.

Он позвонил в три места, как я поняла: своему заместителю, еще какой-то Веронике Филипповне, которая должна была приглядеть за Барсиком, и водителю, которого просил завтра забрать его машину из аэропорта.

— Ну вот, Динь-Динь, кажется, все необходимое я сделал и до вылета свободен. Я люблю тебя, ты не забывай!

— Рыжий, не надо бросаться такими словами.

Он удивленно поднял брови:

— Если хочешь знать, я этих слов никогда и никому не говорил.

— Так я тебе и поверила!

— Дело твое. Убеждать тебя не стану, но это так. Я просто ничего подобного никогда не чувствовал. Когда ты отдала мне Барсика с рук на руки, я вдруг услышал внутри себя фразу: «Я люблю эту женщину!» Не я ее сказал, это было помимо меня. Вот и все, хочешь верь, хочешь не верь...

Господи, да что ж это делается? Никогда в жизни я не слышала столько слов любви, сколько за эти несчастные пять дней... И, несмотря на определенную драматичность ситуации, внутри у меня все пело. Как же нам, оказывается, нужны эти слова... А я ведь давно считала себя спокойной, выдержанной, сугубо современной женщиной. Какое там! Самая обычная примитивная баба, которая тает от присутствия рядом настоящего мужика. В том, что Рыжий — настоящий, у меня не было сомнений. А Костя? Я вдруг вспомнила его глаза, когда, проснувшись, увидела, что он сидит передо мной на корточках, вспомнила его голос... Черт побери, что со мной творится?

— Ну так куда тебя отвезти? Может, к тетке, а? Мы бы еще побыли вместе в дороге, а, Динь-Динь?

— Хорошо, отвези меня к тетке, только заедем на секунду ко мне, я хоть зубную щетку захвачу, а то все время ночую по чужим домам.

— Нет вопросов!

— Подождешь меня тут или поднимешься со мной? — спросила я у подъезда.

— Нет, лучше подожду, а то я за себя не ручаюсь. — Он виновато улыбнулся.

До чего ж он милый!

Первым делом я позвонила Муре. Она страшно обрадовалась, а я поняла, что ей смогу рассказать все без утайки.

В дороге мы с Рыжим говорили мало. На светофорах, в небольшой пробке на съезде с Кольцевой он целовал меня, а когда подъехали к Муриному дому, сказал:

— Думай, Динь-Динь, приводи в порядок мысли и еще... Ты учти: мне не нравится, когда ты разговариваешь со мной покровительственно, как взрослая тетя с симпатичным племянником-несмышленышем!

— Да я и в мыслях не...

— Значит, мне показалось. Ну все, Динь-Динь, не буду целовать тебя на прощание.

Он посигналил у ворот. И не вышел из машины, чтобы подать мне руку, а просто ждал, когда я уйду. А вот это уже мне не понравилось, хотя отчасти я понимала его чувства.

— Пока, Рыжий! Счастливого возвращения.

— Это будет зависеть от тебя, — довольно сухо бросил он.

На этом мы и расстались.

## Глава одиннадцатая
## СОВЕТЫ СТАРОЙ ПОБЛЯДУХИ

Выслушав мой рассказ, Мура тихонько засмеялась, поцеловала меня и, качая головой, произнесла в точности как когда-то моя мама:

— Ох, и поблядуха ты, Динка, ох и поблядуха!

Мы обе расхохотались.

— Ну и что теперь? — спросила она, отсмеявшись.

— Откуда я знаю? У меня голова кругом идет.

— Ты мне вот что скажи: ты замуж хочешь?

— Да нет, не хочу!

— Уверена?

— Уверена! Зачем мне?

— А ребенка хочешь?

— В моем возрасте?

— Ничего страшного, я была чуть-чуть моложе, чем ты сейчас, а родила легко, как кошка! Но у меня, конечно, был Вася. Он, знаешь ли, надежный человек.

— Мне кажется, этот Рыжий тоже надежный.

— А Иванишин, который с первого класса, разве не надежный? Ему, наверное, уже обрыдли девчонки, которые роятся вокруг. Ты такая интересная баба, Динка... Должна сказать, что за те дни, что меня не было, ты еще похорошела, сразу видно, мужик завелся.

— Но он ни разу даже не позвонил, Мурочка!

— Зато Рыжий тут как тут и даже свою девицу послал куда подальше, хотя это, может быть, и вранье, так, сказал на всякий случай, вдруг подействует...

— Я так понимаю, что в этой истории ты на стороне Кости?

— Еще бы! От него можно с ума сойти!

— Но ты ведь не знаешь Рыжего!

— Слушай, а что это ты зовешь его Рыжим? У него имя есть?

— Сергей! Но мне больше нравится Рыжий.

— И ты ему еще не дала?

— Нет. Но он уже требует, чтобы мы жили вместе, как муж и жена. Перед Богом и людьми, как он выразился.

— Ого! А Иванишин?

— Говорю же — уехал и как в воду канул.

— Ничего, подожди, он очень занят, у него небось времени нет все обдумать, отдать себе отчет в своих чувствах. Такими мужиками не бросаются.

— Ох, Мура, что-то я ничего не пойму.

— А тебе пока и понимать ничего не надо! Живи себе в свое полное удовольствие! Посмотришь, как будут развиваться события, в конце концов, скажи себе — это игра, я играю и только. Если бы это была любовь, ты бы не стала никого спрашивать, а сделала бы сама свой выбор. А раз не знаешь... И еще — обязательно переспи с Рыжим, может, тогда и определишься.

— Советы старой поблядухи? — засмеялась я.

— Да какая я поблядуха? Я теперь образец добродетели! Но в прежнее время действительно давала шороху... — с прелестной улыбкой сказала Мура. — И должна признать, — добавила она шепотом, хотя мы были одни во всем доме, — ни чуточки об этом не жалею! По крайней мере, есть что вспомнить. Видишь ли, Вася... я его люблю по-настоящему, он самый лучший человек из всех, кого я знала, но как мужчина — ничего особенного... То есть он вполне... мы до сих пор с ним... Но это не откровение, понимаешь? А муж и отец — идеальный или почти идеальный. Так что этот момент не самое главное, особенно в солидном возрасте... А у тебя уже солидный возраст.

— Ты это к чему? — поинтересовалась я.

— К тому, что хороший человек важнее в жизни, чем хороший мужик.

— Это я давно уже и сама поняла. Но мне почему-то кажется, что Рыжий — хороший мужик. И человек, наверное, тоже. А Костя уже с гарантией отличный мужик и, как мне показалось, безусловно хороший человек.

— Тогда так — живи с обоими и радуйся жизни! В чем проблема? Главное не зацикливаться, а будут у тебя два, найдется и третий, а там, глядишь, и великая любовь встретится.

— Мурочка, а кто у тебя был великой любовью?

— Великой любовью? Вася, конечно!

— А кроме Васи?

— Помнишь, когда мама твоя еще была жива, но уже болела, я была как ненормальная?

— Помню.

— Меня тогда бросил один мужик, которого я любила до сумасшествия, болгарин Койчо Молев. Красив был как Бог, волосы черные-пречерные, а глаза синие. В постели просто чудеса творил, и я буквально ополоумела... А он уехал в свою Болгарию и сгинул. Думала — не выживу, а вот видишь, выжила, и даже очень неплохо, вон у меня дочка какая и Вася... С годами начинаешь понимать: если к мужику можно подойти, прижаться, пожаловаться, что плечо болит, туфли жмут, а Белка-сволочь сказала, что я здорово располнела, и он проникнется, посочувствует, поцелует, по головке погладит... Это дорогого стоит, куда дороже постельных подвигов... Ты уж не девочка, выбирай такого, к которому можно прислониться.

— Костя сказал, что, если бы знал про ту мою историю, он бы меня нашел...

— Мило, трогательно, но ведь в сослагательном наклонении.

— Это точно!

— Ты, наверное, обижаешься, что я тебя тогда не разыскала?

— Нет, на тебя не обижаюсь. Где бы ты стала меня искать?

— Не в том дело! Просто я думала, что совсем тебе не нужна. И еще тогда Майка болела, в больнице лежала...

— Брось! Все нормально! Главное, что мы с тобой встретились и как будто не расставались.

— Да, но ты, Диночка, стала лучше — мягче, умнее, спокойнее...

— Повзрослела.

— И жизнь тебя побила...

— Это верно.

— Слушай, а давай мы с тобой по этому случаю выпьем? А то что-то есть хочется! Обеда у меня нет, но есть пельмени, можно сварить!

— Из красной с белым пачки? — вспомнила я пельмени своего детства.

— Побойся Бога! Домашние, сама лепила, у меня ж Вася с Урала, он без пельменей не живет, пришлось освоить!

У меня потекли слюнки. Но время — третий час ночи!

— Ладно, Мура, вари!

— Наш человек!

Встали мы поздно.

— Жива? — спросила Мура, когда я приплелась к ней на кухню.

— Относительно! Я столько твоих пельменей съела... так вкусно было.

— Хочешь научу?

— Пельмени делать? Боже упаси! Нет, кулинария не моя стезя.

— Это ты зря, как известно, путь к сердцу...

— Знаю, знаю, через желудок... Но я видела столько примеров, когда женщина буквально теряла себя в заботах об ублажении его желудка, а в результате сердце доставалось другой.

— Тоже верно! А ты что, вообще не умеешь готовить?

— Умею, но не культивирую это умение...

— А гостей как принимаешь? В ресторане?

— Я так давно не принимаю гостей...

— А Додика своего чем кормишь?

— Чем придется, он неприхотливый. К тому же мы чаще куда-нибудь ходим.

— А когда муж твой был жив?

— Он не делал из еды культа, я же всегда работала, и он относился к этому с уважением.

— Тогда выбирай Рыжего!

— Почему?

— Он же готов жить врозь.

— Боюсь, что только на словах! По-моему, он такой — дашь ему палец, всю руку откусит!

— Тогда что, выбираем Иванишина? — почему-то обрадовалась Мура.

— Нет, Мура, никого не выбираем! Я, кажется, последую мудрому совету старой поблядухи и буду жить в свое удовольствие!

— То есть с обоими? — засмеялась Мура.

— Я посмотрю, как будут разворачиваться события. Рыжий уехал, Костя не появляется, выбирать мне, собственно, не из кого, так чего мучиться?

— Умница! Скажи, что ты сегодня хочешь на обед?

— Ничего! Никаких обедов! Мы поедем в ресторан, мы же собирались перед твоим отъездом, не вышло, значит, поедем сегодня!

— Да? А что, мне такая идея нравится! Пускаемся в загул?

— Вот именно!

По дороге на станцию Мура вдруг сказала:

— Слушай, на днях возвращаются мои соседи, хочешь, я все разузнаю о твоем Рыжем?

— Нет, не хочу. Зачем?

— Значит, Иванишин?

— Мура, отвяжись!

— Слушай, а как тебе удалось сохранить язык? — перевела она разговор. — Тут приезжала одна моя знакомая из Америки, всего десять лет там прожила и говорит ужасно! Все время вставляет английские слова, не помнит уже, как это по-русски...

— Ну, во-первых, я постоянно общаюсь с Додиком, а он ревнитель русского языка, всегда говорит, что терять в эмиграции язык — последнее дело, и вдобавок я способна к языкам вообще, и к родному в частности...

Мы уже заканчивали обед в отличном ресторане со смешным названием «Сыр». Мура не ошиблась, сказав с чьих-то слов, что там хорошая итальянская кухня. И вдруг позвонил Костя.

— Привет, Шадрина!

Сердце подпрыгнуло и ушло в пятки.

— Привет, Иванишин!

Мура сделала большие глаза.

— Ты, наверное, думаешь, что я мерзавец?

— Ни одной секунды! — рассмеялась я, хотя до его звонка подобная мысль мало-помалу крепла в моей голове.

— Понимаешь, тут куча всяких мелких недоразумений, вплоть до утонувшего в болоте мобильника. Ты простишь меня?

— Безусловно.

— И ты ничего плохого обо мне не думала? Только не говори, что вообще обо мне не думала!

— Но если так оно и было?

— Шадрина, не начинай! Ты где сейчас?

— Сижу в ресторане «Сыр».

— С кем?

— Иванишин, это нескромный вопрос!

— Понял. Когда освободишься?

— А что?

— Вечером ты свободна?

— В принципе да!

— Согласна пойти со мной на одно довольно скучное мероприятие?

— Если оно скучное, то зачем?

— Долг призывает! Но ты скрасишь мне эту тоску, а потом мы слиняем. Достаточно, если мы пробудем там всего час.

— Ну что ж...

Мне вдруг безумно захотелось его увидеть, на скучном мероприятии или на веселом, какая разница? Лишь бы увидеть...

— Тогда в полдесятого я за тобой заеду!

— Хорошо, а как одеваться?

— Не в джинсы.

— То есть вечернее платье?

— Не обязательно, ты иностранка! Так что если непременно хочешь в джинсах, можешь себе позволить.

— Ладно, соображу.

— Шадрина, ты молодец! Пока!

И ни слова о любви. А я-то уже приготовилась

услышать: «Шадрина, я тебя люблю!» Но, как выражается моя юная сестра, «облом!». От этого стало немножко грустно. Я уже привыкла слышать объяснения в любви. Как быстро человек привыкает к хорошему! Но я давно научилась так же быстро от хорошего отвыкать.

– Ой, Динка, ты должна иметь в виду – если ты появишься на модной тусовке с Иванишиным, это будет сенсация!

– Так уж и сенсация!

– Уверяю тебя! И твои фотографии появятся в газетах.

– Всю жизнь мечтала! – засмеялась я.

– Ты вот шутишь, а тебе надо привести себя в порядок!

– То есть?

– Ну, может, сходишь в салон красоты?

– Да ни за что на свете! Чтобы я доверилась чужим рукам? Никогда!

– А ты что, сама себя стрижешь? Не поверю!

– Нет, конечно, но у меня постоянный парикмахер в Маастрихте, я к нему привыкла.

– А макияж?

– Я крашу только глаза и немножко губы.

– Да, ты нашла свой стиль... А что наденешь?

– Что-нибудь совсем скромное.

– А я бы по такому случаю выпендрилась на всю катушку, по крайней мере, в твоем возрасте.

— На всю катушку, это как?

— А накрасилась бы поярче, платье самое нарядное, так чтобы все на меня смотрели! Украшения бы нацепила... У тебя украшения есть?

— Не ношу вообще, только вот это кольцо.

— Я уж обратила внимание, это что-то из раскопок?

— Не совсем, я сделала копию с одного кольца, которое нашла в Мексике, но сильно уменьшенную копию.

— Оно оригинальное, конечно... У тебя что, и уши не проколоты?

— Здрасте, вы моя тетя! Ты ж сама когда-то отвела меня проколоть уши.

— Ах да, да, припоминаю, еще твоя мать меня ругала, что я тебя сбиваю с пути истинного, сердилась... А я тогда дала тебе поносить свои золотые сережки с бирюзинками, чтобы ушки не гноились, они так тебе шли, ты была очаровательная...

— Помню, я их надела, так себе понравилась... И Андрей, когда меня увидел в них, сказал: «Ого, какая женщина будет, с ума сойти!» Мне было четырнадцать, и его слова запали в душу, а в шестнадцать у нас начался роман...

— Все-таки он был сволочь, кобель проклятый.

— Папа, оказывается, знал...

— Надо думать!

— А у Кости роман с двадцатилетней.

— Милая моя, сравнила тоже! Шестнадцатилетняя девочка двадцать с лишним лет назад и двадцатилетние нынешние оторвы! К тому же Андрей был другом отца, ты, можно сказать, выросла на его глазах... Слушай, я поняла, почему ресторан называется «Сыр»!

— И почему?

— Посмотри на стены, на потолок, мы же как будто сидим внутри сыра, видишь, все желтое и дырки?

После обеда мы пошли пешком ко мне на Сретенку, Мура хотела во что бы то ни стало видеть, в чем я пойду на «модную тусовку».

— Это, конечно, стильно и, наверное, недешево стоит, — покачала она головой при виде темно-коричневого с бронзовым отливом шифонового платья, — но ты ж еще не старая, может, что-то поярче было бы лучше или хотя бы посветлее...

— Нет, это мое любимое платье, мне в нем удобно.

— Дорогое?

— Не спрашивай!

Это платье я купила в прошлом году в Нью-Йорке на Пятой авеню, когда мне предстояло пойти на торжественный прием в голландском посольстве. И как-то сразу полюбила его.

— Да, классная вещь... Вот я, если честно, никогда

не умела одеваться, – вздохнула Мура. – Ты еще девчонкой иногда мне говорила: «Мура, зачем столько оборок?» или «Эти пуговицы сюда не подходят!»

– Помнишь, тебе кто-то достал дивное черное платье...

– Какое? Ах то, рубашкой, да? С английским воротничком?

– Именно, так ты ничего лучше не придумала, как на него блестки нашить! – смеялась я.

– Ну что делать, любила я все броское, яркое... А теперь нет, теперь я одеваюсь скромно и достойно, но это не моя заслуга, а Майки! Она не дает мне ничего покупать без нее, такая диктаторша...

Она посидела еще часок и стала собираться.

– Поеду, пора и честь знать. А ты поспи, ты ж не выспалась и эту ночь тоже вряд ли спать будешь, – она лукаво мне подмигнула. – Дай тебе Бог счастья, ты заслужила! Когда будет минутка, позвони, расскажи, что и как, а то я умру от любопытства.

## Глава двенадцатая
## ОДНОКАШНИКИ

Я и в самом деле попыталась заснуть, но ничего не получилось. Меня не покидало лихорадочное возбуждение. В девять я была готова и сидела как на иголках. То и дело подбегала к зеркалу, проверяла, все ли в порядке. После того, что у нас было с Костей, первый взгляд через несколько дней очень важен. На часах уже половина десятого, а он все не звонит. Забыл? Нет, не может быть. Застрял в пробке? Но в этот час пробок почти нет, и есть телефон, хотя он что-то говорил про утонувший в болоте мобильник... А может, его перехватила юная Злата? Я вдруг поняла, что почти ненавижу ее. Без четверти я уже металась по квартире как ненормальная. Такого со мной давно не было, ой как давно! Даже и не помню, когда. Питер во время нашего романа никогда не заставлял меня ждать... Он всегда был точен. Но там Европа, а здесь Россия. Хотя в Пахру он приехал вовремя. Так то было еще до того, как... А теперь цель достигнута, можно и не торопиться... А вот Рыжий ни разу не опоздал. Впрочем, чему удивляться, у него военная выучка, а тут богема...

Костя позвонил без пяти десять.

— Шадрина, извини, опоздал немного, ты готова? Тогда спускайся, я тут у ворот жду! И поторопись, будь добра!

Я не стала докладывать ему, что готова давным-давно. И поспешила вниз, хотя мне уже не хотелось никуда ехать.

Он стоял возле своего «лендровера» в светлом костюме с белой рубашкой, правда, без галстука и был так хорош, что дух захватывало. Но при виде меня на его лице отразилось почти детское изумление.

— Шадрина, охренеть!

— Иванишин, у тебя есть другие слова?

— Не-а! У меня вообще нет слов! Садись, поехали, мы уже опаздываем.

— А куда мы, собственно, едем, Костя?

— На тусовку.

— По случаю чего?

— Юбилей одного мецената, сама понимаешь, игнорировать такие мероприятия нельзя. Но нам достаточно будет пробыть там час. Я скучал, Шадрина. А ты?

— Мне некогда было скучать, я тут кручусь как белка в колесе.

— Надеюсь, не с мужиками?

— Надейся!

— Шадрина, что ты себе позволяешь?

— А что, со звездами твоего ранга нельзя так разговаривать? Прости, не знала. Опыт уж очень маленький общения со столь важными персонами.

— Зря иронизируешь, между прочим! Вот сейчас приедем, увидишь... Ну это все глупости! Ты небось думаешь, какая сволочь, даже не поцеловал меня после того, что было... Думаешь?

— Ну, вообще мелькала такая мысль.

— Я боюсь, Шадрина!

— Чего ты боишься?

— Ох, многого! — притворно вздохнул он. — И прическу испортить...

— Свою?

— Твою, дуреха! И платье помять, а главное, боюсь, что просто не поеду уже никуда. Но зато после тусовки!

— Звучит многообещающе!

— Уж будь уверена!

И хотя разговор был шутливый, я все равно завелась. Я опять попала в сети его обаяния и обо всем забыла.

— Слушай, мы что, за город едем?

— Ну да! В загородный ресторан!

Первым, кого я увидела в толпе гостей в огромном зале, был... мой отец. Его красивая седая голова возвышалась над толпой. У меня сразу упало настроение, а почему, сама не знаю.

— Шадрина, выше нос! Я с тобой! — шепнул Костя, тоже заметив отца.

К Косте сразу кинулась девица с двумя фотоаппаратами.

— Господин Иванишин, кто ваша спутница?

— Без комментариев! — бросил Костя. — Шадрина, ты производишь фурор!

— Ерунда, фурор производишь ты! И зря ты не сказал, кто я. Сейчас выяснятся родственные связи...

— О, Динь-Динь! — прогремел рядом голос отца. — Добрый вечер, молодой человек! Ариша, иди сюда! Вот, познакомься, это твой любимый артист! Привет, Динь-Динь!

Ариша почему-то поджала губки, рассеянно кивнула мне и протянула Косте наманикюренную руку для поцелуя.

Он весьма галантно приложился к ручке, извинился и, крепко держа меня под руку, стал протискиваться в глубь зала. Я только успела заметить, что давешняя девица с фотоаппаратами подбежала к отцу и стала его о чем-то расспрашивать. Забавно! Меня с кем-то знакомили, поили шампанским, и я кожей чувствовала жгучую зависть присутствующих женщин, потому что Костя от меня не отходил ни на шаг. Ощущение хоть и не слишком приятное, но зато лестное! И я действительно впервые с момента приезда в Москву чувствовала себя здесь иностранкой. Мне было в новинку подобное сборище. Это так далеко от всего стиля моей теперешней жизни, да, впрочем, я никогда не была светской дамой. А если и случалось попасть на прием, то уж в центре внимания я никогда не оказывалась. Мне это не нравилось, но Костя, похоже, был в своей стихии.

— Старик, рад тебя видеть! — хлопнул его по плечу высокий толстый человек. — Сколько лет, сколько зим!

— Привет, старичок! Действительно, сколько лет... Постой, Вовка, ты узнаешь мою даму? А ты его не узнала?

Минуту мы удивленно пялились друг на друга.

— Шадрина, черт побери, это Шадрина! — завопил он и сгреб меня в охапку.

— Марков? Ты?

— Узнала! Узнала! — ликовал Вовка Марков, в прошлом самый большой хулиган в классе.

— Эй, Марков, ты ее задушишь! — забеспокоился Костя.

— Черт подери, Динка, откуда ты взялась? И какая ты стала! Что, Иванишин все еще за тобой бегает?

— Бегает! — шепотом ответила я и подмигнула Вовке.

— Ну, ребята, я так рад! Какая встреча! За это надо выпить! Котька, конечно, скажет, что он за рулем, а мы с тобой, Динка, можем! Кстати, Иванишин, ты плюнь на стального друга, мой водитель всех отвезет, расслабься!

— Марков, не начинай! — погрозил ему пальцем Костя. — С меня и одного раза хватило, я чуть спектакль не сорвал от такой расслабухи.

— Не преувеличивай! И потом, «чуть» не считается! Шадрина, пошли выпьем, а этот красавчик как хочет!

— Вовка, а ты что, тоже меценат?

— Да нет, я вообще-то хозяин этого заведения.

— Не скромничай, Вовка! У него, Динка, еще пять ресторанов в Москве. Ресторатор!

— Да, такое дело... Видишь, как это плохо на фигуре отражается? — весело развел руками Марков.

— А я, сказать по правде, не знал, что это тоже твое заведение, — заметил Костя.

— Я недавно его купил.

— То-то гляжу тут поприличнее стало, молоток, Марков! Слушай, а нельзя нам по блату быстренько что-то сожрать и смыться, а? — спросил Костя.

Марков взглянул на часы.

— Вообще-то сейчас уже начнется ужин. Но вы сядете за мой столик, и все будет о'кей!

Действительно, вскоре распахнулись двери на огромную террасу, где стояло множество столиков, накрытых удивительно красиво и элегантно.

— Класс, Вовка! — воскликнул Костя. — Здорово!

Марков просиял, но произнес снисходительно:

— Да, и мы кое-что повидали за эти годы! И мы теперь не лыком шиты.

Пока гости рассаживались, Вовка провел нас к столику у балюстрады, за которой я обнаружила небольшой, красиво подсвеченный бассейн с какими-то водными растениями.

— Марков, это что, для протрезвления гостей? — засмеялся Костя.

— Борони Бог, как говорил мой дед! Это исключительно для красоты! Купаться запрещено! Ой, Динка, до чего ж я рад тебя видеть! Расскажи хоть в двух словах, где живешь, как и что? Замужем? Чем занимаешься?

И пока я «в двух словах» рассказывала о себе, к Косте то и дело подходили дамы. Поначалу он мило улыбался, целовал ручки, какой-то девице дал автограф, но постепенно накалялся, поскольку не мог даже куска проглотить.

Вовка краем глаза наблюдал за происходящим.

— Ладно, оставлю вас вдвоем, тогда эти мухи будут меньше надоедать. Шадрина, бери дело в свои руки.

И он ушел. Несмотря на полноту, двигался он легко и даже изящно.

— Да, Костя, тяжело тебе на людях...

— И не говори, поесть даже не дадут. — Он взял обе мои руки и стал поочередно целовать. Поклонницы осадили назад, но я чувствовала: на нас многие смотрят.

— Динка, я твою репутацию не испорчу?

— Наоборот! — засмеялась я. Меня волновали его прикосновения даже среди такого множества людей.

— А как тебе Вовка?

— Он мне всегда нравился, хороший парень. Скажи, он бандит? — вспомнила я разговоры своей сестры.

— Не знаю, но думаю не без того. То есть сам он не бандит, конечно, но не сомневаюсь, что связан с ними... Куда от них денешься? Шадрина, о чем мы говорим вообще? Шадрина, я тебя хочу, — произнес он одними губами, но я расслышала, и блаженное тепло разлилось по телу, голова пошла кругом.

— Костя, знаешь, что мне сейчас нужно? — прошептала я.

Его глаза вспыхнули.

— Ну?

— Ушат холодной воды!

— Я люблю тебя, Шадрина!

И вдруг выражение лица у него изменилось. Оно стало холодно-безразличным и на губах появилось подобие вежливой улыбки. Я обернулась. К нашему столику, чуть пошатываясь, с бокалом шампанского приближалась Ариша.

— Простите, я на минутку прерву ваше уединение, вы позволите присесть? — И, не дожидаясь позволения, она села на Вовкин стул. — Дина, ваш отец страдает!

— Страдает? От чего?

— От вашего невнимания. Не знаю, что у вас вышло, но он огорчен, расстроен. Может, вы хоть на минутку подойдете к нему? Надо же вам наконец примириться! — произнося все это, она жадным взглядом поедала артиста Иванишина. — Пойдите к нему, поговорите, а я пока буду развлекать вашего кавалера! Обещаю, я не дам ему скучать... — И она завозила ножками под столом, очевидно пытаясь найти Костину ногу. У него сделалось вполне несчастное лицо.

— Спасибо за заботу, Ариша, но выяснять отношения в подобной обстановке по меньшей мере глупо, к тому же мы их уже выяснили. Это папа вас уполномочил подойти ко мне?

— Нет, я просто забочусь о нем.

— Ну, он не такой уж рамоли, мог бы и сам подойти...

Но она меня почти не слышала, вся устремившись к своему кумиру. Бедный папа, подумала я. Как безбожно он изменял своим женщинам, а теперь вот пожинает плоды... Видимо, Нелли права, и у папочки уже растут длинные ветвистые рога. Хотя он, кажется, тоже времени даром не теряет или просто делает вид, выдает желаемое за действительное? Ну да Бог ему судья. Не надо жениться на женщине, которая на десять лет моложе твоей старшей дочери.

— Господин Иванишин, в вашем интервью вы

сказали, что любите девочку по имени Дина, это она и есть?

— Она и есть! — без запинки подтвердил Костя, а у меня сердце опять ушло в пятки.

— Поразительно... И при встрече через столько лет вы не разочаровались? — заплетающимся языком допытывалась Ариша. Ну и нахалка же она!

— Должен вас разочаровать — нет, не разочаровался! — с улыбкой холодного убийцы произнес Костя.

— И что, стоило столько лет лелеять в душе... этот образ?

— Мадам, вы, по-моему, что-то не то говорите...

— Я? Почему? Она же холодная... безразличная... А вы заслуживаете другого отношения...

— Простите, не запомнил вашего имени-отчества.

— Просто Ариша! — обворожительно улыбнулась мачеха.

— Так вот, Ариша, позвольте, я провожу вас к вашему мужу.

— Это вы так изысканно говорите мне «Пошла вон!»?

— Если угодно! — не выдержал Костя.

— Ну что ж, я уйду, только... Вы хоть знаете, что она отравила собственного мужа?

Начинается, с тоской подумала я. Этот бред будет всегда меня преследовать, что ли?

— Разумеется, знаю! — спокойно произнес Костя. — А вы знаете, почему она это сделала?

— Нет, — простодушно вытаращила глаза Ариша.

— Потому что я ее об этом попросил, она это из-за меня... Вам все ясно? Я, видите ли, нацелился на наследство, а Дина так... немножко мне помогла. Там, правда, денег оказалось не так уж много, во всяком случае, по моим меркам, но зато мне досталась такая женщина! Это дороже всех денег! Я лично готов принять из ее рук даже чашу с цикутой!

— Костя, прекрати этот бред! Что за идиотские шутки? — рассердилась я.

— О, какой вы... Вы даже лучше, чем я думала... — пробормотала Ариша. — Но у вас плохой вкус, и вообще, я поняла на собственном опыте — воплощенная мечта... это такая гадость... Я вот мечтала когда-то выйти замуж за ее папочку. Я, конечно, его люблю и все такое... У нас ребенок... Но он старик... Как бы ни хорохорился, сколько бы ни пил виагру... Короче, господин Иванишин, вот мой телефон, если вдруг возникнет желание...

Тут, к счастью, появился отец. Надеюсь, он не слышал пьяных излияний своей жены.

— Ариша, по-моему, нам пора!

— Ну что ты, Юрочка, еще рано! Мы тут так мило беседуем...

— Извините, молодой человек, и ты, Динь-Динь, она сегодня весь день ничего не ела, диета, то-се, а тут выпила, ну и... Пошли, пошли, детка!

Ариша уже не вязала лыка. Он поднял ее со стула и увел, она еле передвигала ноги.

— Ну и мачеха у тебя, конец света! Бедный твой отец! А кстати, как он тебя назвал? Динь-Динь? Какая прелесть! Можно я тоже буду звать тебя Динь-Динь?

— Нет! Только не Динь-Динь! — вдруг воскликнула я. — Я не хочу! И потом, для чего ты наплел всю эту херню насчет отравления? Это не повод для идиотских шуток! Теперь еще и о тебе поползут слухи, и опять я буду отдуваться!

— Шадрина, не злись, я не подумал... Да она завтра и не вспомнит! Она же пьяная в сосиску!

— А это запросто мог еще кто-то услышать!

— Перестань, Динка, ну прости дурака, она меня достала, такая дура и хамка...

— И блядь!

— И блядь, — легко согласился Костя. — Притом настолько откровенная, что и неинтересно совсем!

— Ты, значит, откровенных блядей не любишь?

— Нет. Я люблю почувствовать в женщине легкую блядинку... Не более того. Вот в тебе это есть, Шадрина, а еще... я просто тебя люблю с первого класса, и это что-то иррациональное! Я вот, например, помню даже, с каким букетом ты пришла в первый класс первого сентября. У тебя была большая охапка розовых гладиолусов. Беленький воротничок-стоечка, фартук с крылышками и никаких лен-



8-2

точек, бантиков в волосах. Я как увидел, сразу пропал... А между прочим, прошло тридцать пять лет, оцени, Шадрина!

— Я оценила, Костя.

— Но с каким опозданием!

— Лучше поздно, чем никогда.

— Это верно! — улыбнулся он такой улыбкой, что можно было сойти с ума.

— Костя, поешь, ты же голодный, — напомнила я. — И вообще, на нас все смотрят.

— Ну и что? Пусть. Тебе же, насколько я понял, некого бояться.

— Мне некого, а тебе?

— Абсолютно!

— Злата не рассердится? — дернул меня черт за язык.

Лицо у него сделалось холодным и злым.

— Откуда дровишки?

— Представь себе, она подруга моей сестры, это выяснилось случайно. Извини, Костя, я зря это сказала, это меня совершенно не касается, — поспешила я загладить свою неловкость.

— Вот и хорошо, потому что меня это тоже ни в какой мере не касается. Запомни это, Шадрина, ни в какой мере!

Повисла тяжелая пауза. Но в этот момент к столу подошел Вовка, а с ним коренастый, очень загорелый мужчина в очках.



¹/₂8*

— Не помешали? — осведомился Вовка с хитрой миной.

— Нет-нет, — сказал Костя. — Все в порядке. И вообще, думаю, нам пора.

— Блин, вы что, слепые? — воскликнул Вовка. — Не узнаете? — И он подтолкнул к нам своего спутника.

— Оська? Левин! Ты? — первым сообразил Костя.

— Я! Динка, ты чего рот разинула?

Тут все стали целоваться-обниматься, а официанты уже несли новый прибор и под наши восклицания привели стол опять в первозданный вид, что означало полную невозможность сразу уйти.

Когда мы снова уселись, Оська сказал, держа в руках рюмку:

— Ребята, чертовски, просто чертовски рад вас видеть еще до нашей официальной встречи в школе. Вот мы еще по всем меркам вроде бы молодые, ну что такое в наше время сорок два — сорок три года, ерунда! Динка еще может захороводить любого мужика, Костя вообще красавец-мужчина не просто в расцвете лет, а только еще на подступах к этому самому расцвету, Вовка хоть и растолстел, но посмотрите, у него все еще физиономия школьного хулигана, я тоже еще парень хоть куда, но если вспомнить, что школу мы окончили четверть века назад, становится как-то... тошно. Поэтому мы исключим из обихода эту гнусную цифру, которая хороша только один раз в жизни — когда тебе исполняется двадцать пять. Так вот, выпьем за то, чтобы эта цифра не возникала больше!

— А как же серебряная свадьба? — осведомился с улыбкой Вовка.

— Серебряная свадьба? Спаси нас бог от серебряных свадеб! Прожить столько с одной бабой? Ужас! Извини, Диночка! Но... Хотя ты, Костя, вероятно, готов был бы прожить даже больше с нашей Диночкой, судя по тому, что вы тут сидите и как-то подозрительно нежно друг на дружку взираете!

— Считай, что я прожил с Шадриной целых тридцать пять лет. Правда, не с ней, а с ее образом в душе!

— Вот именно, что с образом! С образом можно прожить хоть сто лет, а вот с реальной бабой... Брр!

— Оська, сколько у тебя было жен? — полюбопытствовала я.

— Почти как у царя Соломона, — засмеялся Оська.

В какой-то момент Костя шепнул мне:

— Динка, пойди куда-нибудь и позвони мне оттуда по сотовому. Иначе мы не вырвемся.

Я сразу его поняла. Пошла в туалет и позвонила.

— Алло! — откликнулся Костя. — Что, что вы говорите? Когда? Ну, Валентин Никифорович, побойтесь бога, я тут с друзьями отдыхаю, расслабился в кои-то веки, а вы... Ну ладно, что поделаешь, но имейте в виду, вы вампир! Ну куда ж я денусь, приеду!

Он отключился. Я умирала со смеху. Все-таки он, наверное, самый очаровательный мужчина из всех. А Рыжий? Он тоже уехал после телефонного звонка... А что, если и там было что-то подобное? Глупости, он вовсе не хотел со мной расставаться. А избавиться от Оськи Левина — святое дело.

Когда я шла через зал, меня перехватил отец.

— Динь-Динь, извини, Ариша наговорила каких-то глупостей... Она, когда выпьет, бывает бестактна.

— Боже мой, папа, меня такие вещи не задевают.

— Скажи, у тебя и вправду роман с этим Иванишиным?

— Ну, я уже большая девочка, папа, и это касается только меня.

— Ты сердишься, Динь-Динь?

— Нет, нисколько.

— Но я надеюсь, мы еще увидимся? И бабушка очень хочет...

Он был явно нетрезв, и в этом состоянии показался мне немного жалким. Хоть это не вязалось с его обликом крепкого красивого пожилого господина.

— Обязательно увидимся, папа! Созвонимся!

Пришлось встать на цыпочки, чтобы поцеловать его в подбородок. Мне было его жалко сейчас.

Когда я вернулась к столу, Костя был уже готов к бегству.

— Шадрина, мне придется уехать! Надеюсь, ты со

мной? После Оськиных высказываний я не рискну оставить тебя с этим сексуальным террористом!

— Иванишин, ты хочешь сказать, что отвезешь Динку и поедешь к главному режиссеру на ночные репетиции? Бред! Я просто уверен, что Динка для того и ушла, чтобы позвонить тебе и ты мог бы утечь под благовидным предлогом! Неужели не могли просто сказать: ребята, у нас шуры-муры, лав стори, и нам надо смыться, чтобы... трали-вали и все такое. Невтерпеж, мол! Зачем так сложно?

Я видела, что Костя взбесился.

— Слушай, Левин, я не обязан тебе ни в чем отчитываться, а уж тем более в том, куда и зачем я еду с женщиной... Это не твое дело и оставь свои пошлые догадки при себе!

— На воре шапка горит! — хлопнул в ладоши Оська.

Костя рванулся было к нему, но Вовка успел его перехватить.

— Котька, тихо, ты чего в бутылку лезешь! Спокуха, спокуха! Нечего тут... Только драки нам и не хватало! Да еще с одноклассником, стыдобища! И ты, Оська, придержи язык, что за дела! Извини, Динка.

— Нет, это хрен знает что! Встретились, называется! Однокашники! Однокакашники! — фыркнул Оська.

— Как был мудаком, так и остался! — рявкнул Костя.

— А ты как был антисемитом, так и остался! — не замедлил с ответом Оська.

— Я антисемит? Я?

— Костя, пошли скорее отсюда! — испугалась я. Дело явно шло к драке.

— Эх, дал бы я тебе в морду за твое хамство и дурь, но ты же скажешь, что стал жертвой антисемита, говнюк! Пошли, Шадрина!

— Вовка, извини, — сказала я.

— Да ладно, бывает, — отчего-то смутился Вовка.

А Оська довольно громко заметил вслед:

— И чего бесится? Шадрина до сих пор не дает?

— Костя, идем скорее, — пролепетала я в надежде, что он не услышит. Но он услышал. Остановился, медленно повернулся и вдруг одним молниеносным и на редкость красивым движением подскочил к Оське, и не успел тот даже отшатнуться, как Костя поднял его и швырнул через балюстраду прямо в бассейн с водными растениями. Раздался вопль, плеск, крики, все бросились к балюстраде, а Костя схватил меня за руку и потащил к выходу. Он был по-настоящему разъярен, я его таким никогда не видела. Волок меня за собой, а кругом сверкали вспышки фотоаппаратов.

## Глава тринадцатая
## СПЯЩИЙ КРАСАВЕЦ

— Костя, ты его не убил? Надо бы узнать...

— Такие богу не нужны! Что ему сделается? Ну искупается немножко! — вытирал пот со лба Костя, уже сидя за рулем.

— А если он шею сломал, бассейн неглубокий...

— Ты же слышала плеск.

— Костя, мне страшно!

— Ох, бабы! — Он вытащил мобильник. — Вовка, Иванишин. Этот мудила цел? А то Динка квохчет, что я его убил. Жив-здоров и невредим мальчик Вася Бородин? Ну и хер с ним. Ты извини, конечно, старина, но я ведь его не звал... Все, пока! Ты удовлетворена?

— Вот теперь — вполне! Жалко только водные растения, он их потревожил.

— Может, мне еще и о растениях справиться?

— Да нет уж! Ох, какой ты нервный, Иванишин!

— Что делать, профессия такая...

— Должна сказать, это было красиво! И можно быть уверенными, что завтра все это появится в газетах.

— Подумаешь, лишняя реклама! Все, не хочу больше об этом говорить! Шадрина, поехали ко мне.

— На дачу?

— Ты же требовала ушат холодной воды... И потом, там меня не будут доставать. Разве нам плохо там было? Ох, черт, я совсем забыл, мне же утром надо быть в городе... Тогда едем ко мне на квартиру. Ведро у меня есть и там!

— Нет, Костя, если не на дачу, то лучше ко мне, я и так все время скитаюсь по чужим домам...

— А у тебя есть какая-нибудь еда?

— Какая-нибудь есть! Бедняга, ты так и не поел толком.

Мне не хотелось быть с ним в его холостяцкой квартире еще и потому, что через нее наверняка прошло бессчетное множество женщин.

В лифт вместе с нами втиснулась высокая крупная блондинка лет тридцати пяти, красивая и пьяная. Взглянув на Костю, она без тени смущения спросила:

— Господин Иванишин, почему у вас всегда такой неухоженный вид?

Костя только рот успел открыть от изумления, как блондинка уже вышла из лифта.

— Что она имела в виду? — обалдело спросил он.

– Ты растрепан...

– Но она же сказала «всегда»?

– Костя, она пьяная!

– Что у трезвого на уме... Интересно!

Кажется, замечание пьяной блондинки задело его за живое. И, едва переступив порог квартиры, он немедленно устремился к зеркалу. При этом он, казалось, совершенно забыл обо мне. Пригладил волосы, поправил воротничок рубашки, провел пальцами по щекам, словно проверяя, не отросла ли щетина, смахнул что-то с левой брови и застыл, глядя в зеркало. Интересно, Рыжий в такой ситуации повел бы себя так же? Исключено! Но Костя актер, и внешность важна для него куда больше, чем для других мужчин. Я тихонько села в кресло и стала наблюдать за ним. Но в этом зрелище было что-то до такой степени интимное и не предназначенное для чужих глаз, что я на цыпочках прошла в кухню. Он же голодный... Странно, такое мужское поведение там, в ресторане, и вдруг этот приступ нарциссизма... Я никогда прежде не имела дела с актерами. А может, и не надо? Но он так хорош! У меня перед глазами стояла совсем другая картина – Костя хватает Левина и швыряет в бассейн, это было как в кино, и он, что называется, вступился за честь дамы...

Я открыла холодильник: чем можно покормить этого рыцаря-нарцисса? Омлет с сыром и помидором – на большее у меня ресурсов нет. Я стояла у плиты, следя, чтобы омлет не подгорел. Вошел Костя, обнял меня, поцеловал в шею. У меня задрожали руки.

– Прости, я немножко отморозился... Как вкусно пахнет!

– Подожди минутку. Хочешь руки помыть? Вторая дверь слева.

– Да, да, спасибо!

Дожарить омлет в такой непосредственной близости от него было бы проблематично. Когда он вернулся, омлет уже стоял на столе.

– Ешь!

– Спасибо, Шадрина, выглядит аппетитно. А ты не будешь?

– Нет, я успела все-таки поесть у Маркова.

Он с удовольствием принялся за еду. Потом вдруг поднял глаза от тарелки, отложил вилку.

– Я столько мечтал, что ты будешь мне жарить яичницу.

У меня мурашки по спине побежали.

– И она обязательно будет пересолена...

– Я пересолила?

– Нет, Шадрина, соли, увы, в самый раз. Ты совсем меня не любишь, Шадрина?

В этот момент мне показалось, что я люблю его безумно. Но я взяла себя в руки.

– Костя, у меня другой характер. И потом, ты же сам знаешь, как было раньше, а теперь я еще ничего не соображаю... Но мне давно-давно не было так хорошо, как с тобой. И омлет я тебе готовила с наслаждением.

— Честное пионерское?

— Честное пионерское!

— И то хлеб! — вздохнул он и снова взял вилку.

Он, наверное, очень одинокий человек, подумала я. Но по-настоящему ему никто и не нужен. А я? Я тоже одинока, и мне по-настоящему никто не нужен... Нет, глупости, мне кто-то нужен, просто необходим, я просто одиночеством защищалась от своей жизни. Но кто мне нужен? Костя? Рыжий? Еще кто-то? Сама не разберусь. Когда я с Костей, мне с ним хорошо, когда с Рыжим — тоже. Я влюблена в них обоих? Похоже на то...

— Ты о чем задумалась, Шадрина?

— О тебе, Иванишин.

— И что ты обо мне думаешь?

— Не знаю, ничего определенного, какие-то неясные, но ужасно приятные мысли, — засмеялась я.

— Ты жалеешь, что вовремя меня не оценила?

— Может быть. Если бы в юности я влюбилась в тебя, вся моя жизнь сложилась бы иначе.

— И моя, наверное... Может, у нас уже было бы трое детей.

— И мы бы уже давно разбежались, несмотря на троих детей.

— Тогда, наверное, это судьба, что мы встретились взрослыми, да что там, уже далеко не молодыми, у каждого за спиной много чего... Может, нам надо быть вместе, Шадрина?

– Костя, куда ты торопишься? Мы всего второй раз видимся в этом новом качестве, у нас позади всего одна ночь...

Он решительно отодвинул тарелку.

– Сейчас будет вторая!

На сей раз я проснулась раньше него и поняла, что проспала каких-нибудь полчаса, а за окном уже светает. Больше не засну, я это сразу ощутила. Костя спал тихо, закинув руку за голову. Спящий красавец, подумала я. И вдруг отчетливо поняла, что моей прежней жизни пришел конец, что я не могу больше жить одна с котами, собакой и дружеской поддержкой Додика. Мне этого мало. А еще мне надоело жить в маленьком, занюханном Маасмехелене, вести образ жизни одинокой, сдержанной дамы-преподавательницы... Я хочу любви, хочу сходить с ума, хочу... Я сама не знаю, чего хочу... И кого... В мозгу мелькали какие-то штампы: «водоворот событий», «безумие страстей», «пламя любви» и всякая подобная чушь. Но кроме всего прочего за окнами родной город, Москва, любимая, чудесно преобразившаяся, встретившая меня «шквалом любви», закрутившая, можно сказать, «в вихре вальса», а я так и не сумела до сих пор побродить по ней как следует, одна... Костя сказал, что с утра у него какие-то дела, вот провожу его и пойду слоняться, навещу улицы своего детства и даже не возьму с собой мобильник, чтобы никто не отвлекал. И не буду думать ни о чем и ни о ком, ни о Косте, ни о Рыжем, ни об отце, на старости лет попавшем как кур в ощип к Арише, которая, как я вчера поняла, ни в грош его не ставит...

Мои сумбурные мысли прервало пение мобильника. Кто это в такую рань? Я схватила его и побежала в гостиную, чтобы не разбудить Костю.

– Алло!

– Динка, это Тося, прости, что так рано, но тут такое дело, я должна с тобой поговорить, это очень важно!

– Господи, что стряслось?

– Объясни мне, ради бога, что все это значит? Мне позвонила одна девушка, она ведет у нас в журнале светскую хронику...

– А, – засмеялась я, – ты о вчерашней драке у Маркова?

– При чем тут драка? Иванишин часто дерется! Кстати, он у тебя?

– Что за бред? – нестерпимо фальшивым голосом воскликнула я.

– Это, положим, не бред, а факт, но дело твое. Ты мне другое объясни. Моя Маринка слышала, как

Иванишин сказал одной даме, что ты отравила мужа по его просьбе, я-то понимаю, что это просто чушь собачья, но имей в виду — это могли слышать многие!

— Господи, Тоська, человек в пьяном запале решил утереть нос не в меру назойливой и тоже в дымину пьяной бабе, только и всего. Стоило из-за этого звонить в полшестого утра!

— Стоило, черт возьми! Завтра это появится в газетах! Тебе мало амстердамской истории, ты еще хочешь?

— Нет, не хочу, но что я могу поделать?

— Ты? Ничего. А я могу!

— Что ты можешь?

— Если вот сию минуту ты и Костя дадите мне интервью, где будет все разложено по полочкам, то скандал не состоится! А Иванишину будет роскошная реклама. Без такого интервью грязи будет в сто раз больше!

— Да, Тоська, помнишь, как это называлось у нас в школе? На ходу подметки резать!

— На том стоим! Давай, буди Костю, и не надо говорить, что его у тебя нет! Вас засекли!

— Боже мой!

— Давай-давай, время не терпит!

Я разозлилась:

— Слушай, Тоська, ты можешь мне верить или нет, но лезть в мою постель...

— Да брось, Динка, ерунда это, мне лично нет дела, спишь ты с Костей или нет, я просто рада, что он наконец своего добился. Но пьяные бредни, как злые языки, страшнее пистолета.

Мне вдруг стало смешно.

— Черт с тобой. Перезвони мне на домашний телефон минут через десять.

— Через пять! — не терпящим возражений тоном заявила Тоська.

Спящего красавца следует будить поцелуем.

— Костя, Костенька, проснись!

— А? Что? Что стряслось, Шадрина, это ты? Господи, меня будит Шадрина, надо же, дожил! Иди скорей ко мне!

— Костя, подожди, ну что ты делаешь, пусти!

— Нет, не пущу, никуда не пущу, Динка, ты чего пихаешься?

— Костя, выслушай меня! — закричала я, с трудом от него отбившись.

— Что-то случилось? — испугался он.

Я пересказала ему Тоськино сообщение.

— Да ну, плевать! Собаки лают, ветер носит! Тоська хочет слупить с нас эксклюзивное интервью, только и всего. Ну напишет какая-нибудь газетенка, что мы вдвоем отравили мужа, ну и что?

— Я понимаю, Костя, но у меня, честно говоря, больше нет сил выносить эту гадость.

— Но если ты станешь оправдываться, будет хуже.

– Куда уж хуже. А еще я боюсь, что кто-то из газетчиков кинется в Амстердам, разыщет этих паучих, и опять закрутится шарманка... И дернул тебя черт за язык!

– Не меня, а твою идиотку-мачеху!

Опять зазвонил телефон.

– Это Тоська.

– Я сам с ней поговорю! Алло! Привет, что там такое? Хорошо, мы дадим тебе интервью, но с одним условием. Ты немедленно свяжешься с амстердамской полицией... Как это зачем? Чтоб все увидели документ...

– Костя! Перестань, это просто чушь! – разозлилась я.

– Ничего не чушь! Документ о том, что... – он включил громкую связь, и я услышала Тоськино возражение:

– Костя, это ерунда! Не бывает документов о невиновности, если не было суда! Достаточно просто копии свидетельства о смерти!

– Все! Хватит! Ничего не будет, ни интервью, ни оправданий, ничего! – закричала я. – Не желаю оправдываться! Не желаю больше слушать никаких доводов! Любой, кто услышит про участие в этом деле Кости, просто посмеется, а что касается меня, я не желаю опять заниматься этой историей! Хватит! Сыта по горло! Пусть ваши сраные газеты пишут что хотят. Да они и писать-то обо мне не будут, кто я такая, в конце концов? Подружка господина Иванишина, мало ли у него подружек! Так обо всех писать, что ли? Я им, слава богу, неинтересна.

– Шадрина, успокойся. Тоська, Дина права. Лучше не гнать волну!

– А зря! Эх, какой материальчик пропадает! Но дело ваше! А тебя, Иванишин, поздравляю, сбылась мечта идиота!

– Спасибо, Тося. Погоди, Шадрина, ты чего ревешь? Ладно, Тоська, у меня тут Шадрина плачет, потом созвонимся! Динка, ты чего? Ну не реви, я этого не переживу!

– Костя, Тоська с такой злобой сказала...

– Что?

– Что сбылась мечта идиота... Она в тебя влюблена, что ли?

– Да ты что? Перекрестись!

– Влюблена, влюблена, я уверена.

– Это ее глубоко личное дело!

– Но она несчастная, у нее с сыном плохо...

– И что? Я должен ее утешать в постели, так? Шадрина, ты бредишь! Ну, скажи на милость, чего ты ревешь?

– Костя, ну почему так получается? Я скромная женщина, ни выдающейся внешности, ни выдающихся способностей, а вот уже который раз становлюсь объектом жгучей зависти... наши паучихи, эта дура Ариша, теперь Тоська... Знаешь, сколько гадости я нахлебалась в жизни? А теперь, боюсь, будет еще хуже...

— Дурочка ты, Шадрина! Тоська, конечно, матерая профессионалка, но она не подлая и прекрасно знает, что ей ничего не светит, знает про мои чувства к тебе... А потом, должен признаться, у меня было много баб... Прости, женщин...

— Ну и что? — всхлипнула я.

— И ни одна из них не пала жертвой роковой зависти или ненависти. И потом, учти, Шадрина, Москва — это не эмигрантский кружок в маленькой стране. Там у вас и вправду они как пауки в банке, а тут... Да на следующий день все забудется! Не бери в голову! Просто Тоська застала нас врасплох, в такую чертову рань... Заполошная дура! Ты пойми, тут столько есть тем для сенсаций, кроме личной жизни артиста Иванишина... Ну напишут какую-нибудь пакость, а мы читать не станем! Да вон сегодня вечером Киркоров появится с новой прической, визгу будет куда больше.

— Кто такой Киркоров?

— Господи, Шадрина, ты с Луны свалилась? Нет, Луна достаточно близко, с Марса, наверное, ты моя Аэлита... Только не спрашивай, кто такая Аэлита!

— Про Аэлиту я знаю.

— Ну все, все, иди ко мне.

— Костя, а Тоська еще сказала, что нас отследили...

— Ну и на здоровье!



9-4

...Уходя в начале десятого, Костя сказал:

– Шадрина, выше нос! И запомни: если тебе когда-нибудь понадобится моя жизнь, то приди и возьми ее!

– Ты что, играешь Тригорина?

– Нет, играл когда-то Треплева, плохо играл, надо сказать. А Тригорина сейчас смог бы... Слушай, а почему все-таки она сказала, что у меня неухоженный вид?

## Глава четырнадцатая
## ПЕРЕВОЗБУЖДЕНИЕ ПРИМИТИВНОЙ ЛИЧНОСТИ

Я оставила дома мобильник и пошла бродить по городу. И не думать ни о чем и ни о ком. Отключиться. Забыть. «Забыть» — кодовое слово для меня. Приказываю себе забыть и забываю! Как оказалось, не навсегда, но на какое-то время.

Вот и мой родной Вспольный переулок. Дом, где мы жили с мамой, когда отец ушел от нас. Тут у нас была однокомнатная квартира. Потом, когда мама заболела, мы съехались с Мурой, сменяли ее комнатушку в коммуналке и нашу квартиру на двухкомнатную на Шаболовке, но мама там уже не жила, а меня после ее смерти отец забрал к себе, он говорил, что не может доверить меня Муре. Она слишком любвеобильна, как он тогда выразился. Потом ему предстояло получать квартиру от Союза художников, и он прописал меня к себе, чтобы получить лишние метры... Черт возьми, у меня же была «площадь» в Москве! Куда она делась? Впрочем, бог с ними, с этими метрами... Мне что, жить негде? Слава богу, у меня большой дом и есть деньги, если захочу купить жилье здесь... Интересно, это дорого — квартира в Москве? Глупости, бред. Мне очень нравится быть здесь иностранкой, а вот москвичкой? Ерунда, да и домочадцы мои лохматые в городских условиях жить не смогут. Интересно, как там Кукс? За Мойшу и Тузика я не беспокоилась.

Я прошла по Спольному переулку до улицы Качалова и повернула назад, вернулась к улице Алексея Толстого, теперь они соответственно назывались Малой Никитской и Спиридоновкой. Хотела зайти в наш подъезд, но он был заперт. Я медленно побрела в сторону Патриков — так мы называли в детстве Патриаршие пруды... А вон в том доме жил Костя, у них была комната в коммуналке, потом они получили двухкомнатную квартиру «за выездом», то есть в старом доме на Большой Бронной, и это считалось огромным везением, потому что в те годы обычно переселяли на окраины. И многие, уезжая, меняли школу. Помню, как ликовал Костя, когда узнал, что им дали квартиру так близко. А вот и Патрики. Тут мы катались на коньках. Однажды я упала и расквасила себе нос, а Костя прикладывал мне к носу снег. У нас была хорошая школа, дружный класс, и я, переехав, ни за что не согласилась перейти в другую школу, так и ездила сюда на метро и троллейбусе...

У Кости в новой квартире я не была, даже точно не помню, в каком именно доме он жил. Наверное, он и сейчас там живет. Он очень мало интересовал меня тогда. А теперь? Я с улыбкой вспомнила его тревогу по поводу замечания пьяной блондинки. Странная вещь, я с ним сплю, мне это нравится, он то и дело твердит о своей любви, а я не чувствую этого... Я помню, как еще почти ребенком почувствовала закипающую страсть взрослого мужчины, папиного друга Андрея Георгиевича, как испугалась этого, как заволновалась... Потом такое же чувство было и с Янеком, и с Питером... А с Костей этого нет, хотя, казалось бы... Значит, я не внушаю ему страсти, этому ослепительному мужчине, безусловно, самому ослепительному в моей жизни? А разве то, что я к нему чувствую, — страсть? Нет, даже близко нет. Хотя в постели с ним хорошо... Наверное, я не так быстро загораюсь... Ну, конечно, я ни разу в жизни не загорелась сама, а только от чужого огня... Так что же, Костин огонь недостаточно горяч и ярок? Чепуха! Все, что я тут нарассуждала — чепуха! Результат съехавшей крыши, как они тут теперь выражаются. А на Патриках можно отдохнуть. Я купила эскимо и села на лавочку. Эскимо оказалось вкусным. Лавочка в тенечке. Что еще надо человеку, вернувшемуся в родные пенаты? На лавочку сели две девчушки лет по пятнадцать, тоненькие, длинноногие, одна смуглая, черненькая, вторая бело-розовая, Додик таких называет «зефирчиками». Они пили из банок кока-колу и говорили между собой вроде бы по-русски, но понять что-либо было затруднительно.

— Зажгли вчера?

— Аск!

— И чего?

— Да ну... Маленький врубил «Арию» — полный отстой!

— «Ария» отстой? Ты чего? Что ты тогда слушаешь вообще?

— «Хим», это супер!

— А «Дискотека Авария»?

— «Хим» лучше!

— Ну хоть поколбасились? Хотя, если тебя от «Хима» плющит, то...

Да! Если своих сверстников и старшее поколение я еще понимаю, Майку и Нелли уже с натяжкой, то этих... Единственное, что удалось уловить, по-видимому, они не сошлись во вкусах относительно каких-то модных групп...

Разговор двух девочек меня отвлек и развеселил. Что за бредовые мысли лезут в голову — страсть не страсть, какая разница, если мне хорошо? А разве мне хорошо? Ну еще бы! Я с ходу завела роман с мужчиной, о котором мечтают все бабы. Ерунда, эти девочки и не думают о нем, он для них древний старик. Но вот Мальвина смотрела на него с восторгом, Мура говорит с придыханием, а неведомая Злата умирает от любви. А я? Я вообще когда-нибудь умирала от любви? Конечно, от любви к Андрею я умирала. От любви к Янеку нет — так, немножко поумирала от его нелюбви, когда он ушел. От любви к Питеру просто не было нужды умирать, там все было так хорошо, гармонично, спокойно... И вот теперь Костя Иванишин. Когда он рядом, особенно в постели, да, мне кажется, что умираю... Этот спящий красавец говорит столько хороших, даже прекрасных слов, он такой обворожительный — разве можно остаться спокойной? Но чего-то не хватает и что-то мешает... Наверное, он любит не меня, сорокадвухлетнюю женщину, а свою детскую любовь ко мне. Он вообще любит больше всех себя. А меня уже как факт своей биографии. Тьфу, я запуталась... Да какая разница в конце-то концов? У меня роман, роман, который польстил бы любой бабе в здравом уме и твердой памяти, так зачем копаться в себе, как именно он меня любит? Идиотка! Да как бы не любил! Я уеду домой и будет что вспомнить. У меня впереди еще много дней и многое может случиться. А Рыжий? Что Рыжий? Его поезд ушел! Интересно, так еще говорят? Я ему ничего не обещала, ничего не должна, между нами ничего не было, кроме нескольких поцелуев... Однако при воспоминании об этих поцелуях я сомлела ничуть не меньше, чем при воспоминании о двух ночах с Костей... Что же это такое? Бешенство матки? Никогда этим не страдала. Мало ли чем я до сих пор не страдала... Это Костя разбудил во мне зверя? Я слышала, что у женщин за сорок все желания обостряются. У нас в университете одна дама, профессор биологии, в сорок три года просто рехнулась на сексуальной почве, говорили, она жила чуть ли не со всеми своими студентами... Вон идет довольно видный парень, лица, правда, еще не разглядеть, но фигура — блеск, надо бы проверить себя, вызовет он во мне какие-нибудь ощущения? Парень оказался довольно красивым, лет двадцати двух, но не вызвал ровным счетом никаких ощущений. И слава богу, только этого не хватало. Но если я еще встречусь с Рыжим, могу и не устоять... У него такие красивые, такие большие руки. У Кости тоже красивые руки, но это руки аристократа. А у Рыжего руки мужицкие, и мне это нравится. Такой если ударит... Но не меня же он ударит? Хотя такой может... Нет, ерунда, он бывший офицер, офицеры женщин не бьют. Но он же советский офицер, а советские офицеры, насколько я знаю, своих жен еще как лупцевали... Нет, у меня определенно съехала крыша! Надо скорее пойти домой и посмотреть, кто мне звонил... А то мало ли... Но хочется есть, а дома после Костиного визита хоть шаром покати. Надо бы купить какой-то еды, а пока зайти куда-нибудь поесть. В Москве сейчас ресторанчики и кафе на каждом шагу. Первой на пути мне попалась кондитерская. И вдруг я поняла, что безумно хочу сладкого, каких-нибудь пирожных с кремом и взбитыми сливками, хочу до одури. Я вошла и заказала кофе с большим куском аппетитного торта, который углядела на витрине. Торт оказался вкусным до невозможности. Я умяла его мгновенно и поняла, что хочу еще. Мне принесли кусок уже другого торта, я с упоением принялась за него, и вдруг до меня дошло — такое со мной бывает, только когда я влюблена. Обычно я довольно равнодушно отношусь к сладостям, но когда влюбляюсь... Видимо, в организме что-то сгорает и возникает неодолимая потребность в сладком. Интересно, в кого я все-таки влюблена? Ну конечно в Костю... Или все-таки в Рыжего? Но, судя по тому, что второй кусок был уничтожен в считанные минуты и я уже готова была заказать третий, не исключено, что я влюблена в них обоих. Заказывать третий я просто постеснялась. Посидела еще над чашкой кофе, расплатилась и совершенно неудовлетворенной вышла на улицу. Мое счастье, что я не полнею и вполне могу позволить себе съесть еще что-то сладкое, организм требует... По пути попалась булочная. Я зашла и замерла. На витрине лежали самые любимые пирожные моего детства — обсыпные эклеры. Помню, мама, признававшая только эклеры с заварным кремом из магазина в Столешниковом переулке, слегка презирала мою плебейскую страсть к эклерам с жирным сливочным кремом.

— Будьте добры, шесть эклеров!

— Девушка, только имейте в виду, они с вареньем, — предупредила пожилая продавщица.

— Почему с вареньем? — расстроилась я. — А с кремом теперь не бывает?

— В других местах бывают, а у нас только с вареньем.

— Какое свинство, — вырвалось у меня. Я ощутила горькую обиду.

— А есть еще со взбитыми белками! — подоспела вторая продавщица, помоложе. — Только что завезли!

— Нет, спасибо!

Кажется, это первое московское разочарование... Любимый город говорит мне: хорошенького понемножку! И правильно, хватит сладкого! Но какие нынче в Москве торты, а какие милые, вежливые продавщицы! Раньше мне, наверное, сунули бы в морду эти эклеры, и, только откусив кусок, я бы поняла, какая это гадость. И кому в голову взбрело делать эклеры с вареньем? Должно быть, этот кондитер извращенец.

А вот и наша школа. Ба, ее и не узнать, раньше она была краснокирпичной, а теперь ее покрасили в светло-бежевый цвет! И деревья разрослись. Два паренька выскочили из ворот, у одного в ухе была серьга! До чего дошла российская демократия! Когда я училась, даже девочкам запрещалось носить сережки. Но мама смеялась и говорила, что в наше время в школах совсем вольные нравы. Когда училась она, им запрещали даже в жару ходить в носках! «Тут же мальчики, а вы с голыми ногами!» — возмущалась их директриса. Помню, меня особенно впечатлил мамин рассказ о девочке, которая явилась в школу с бесцветным лаком на ногтях, кто-то донес директрисе, та примчалась на урок, вызвала девочку к доске и велела обдирать лак с ногтей перед всем классом. Девочка рыдала, лак не обдирался, директриса торжествовала: «Вот так будет с каждым, если...» Урок был сорван, но девочке, вопреки ожиданиям директрисы, все сочувствовали. «И в этом было уже веяние нового времени! — говорила мама. — Мы же родились и пошли в школу еще в сталинские времена».

И вдруг я увидела, что из школы вышла женщина. У меня все замерло внутри. Неужто это Суса? Наша учительница по литературе Сусанна Лазаревна? Не может быть! Хотя почему? Когда мы кончали школу, ей не было и сорока... Она все такая же худенькая, только поседела... Да, это она!

Что-то толкнуло меня.

— Сусанна Лазаревна!

Она остановилась, прищурилась и вдруг всплеснула руками:

— Дина! Шадрина! Это ты?

— Я!

Мы кинулись друг к другу в объятия.

— Господи, Сусанна Лазаревна, вы совсем не изменились!

— Не стоит так бессовестно лгать, Шадрина. Мне ведь уже не надо ставить тебе оценки! А ты изменилась. Но выглядишь хорошо! Ты, наверное, приехала на встречу, да?

— Да! Проходила мимо школы, задержалась, смотрю, вы! Как я рада вас видеть!

— Тося Бах мне сказала, что ты живешь за границей. Многие сейчас разъехались... Кто бы мог подумать, что такое будет возможно! Мой сын тоже уехал в Израиль... У меня двое внучат, и я постоянно за них волнуюсь, знаешь, они живут на так называемых «территориях»... Ты бывала в Израиле?

— Да.

— Значит, представляешь себе, каково им.

— Сусанна Лазаревна, вы спешите?

— Нет, у меня есть полчасика, давай посидим тут на лавочке, поговорим. Знаешь, Веня Гордон тоже в Израиле и Мила Нейман. Я виделась с ними там.

— Да, знаю, мне Иванишин говорил.

Она улыбнулась:

— Даже вообразить не могла, что Иванишин станет актером, Иван Петрович прочил ему большое будущее в точных науках, а вот как получилось...

Помнишь, он ведь всегда бегал за тобой? А ты не обращала на него внимания... Кстати, у нас сейчас учится его сын, хороший мальчик, но, в отличие от отца, выраженный гуманитарий... Ну а у тебя есть дети?

— Нет.

— Жаль. А кто ты по профессии, Дина? Тося мне говорила, но я запамятовала.

— Археолог.

— Археолог? Это же страшно интересно.

— Да, хорошая профессия. Но вы, почему вы не уезжаете к сыну?

— Так у меня тут дочка, и у нее тоже дочка, моя внучка, они ни за что не хотят уезжать. Хотя муж у дочки тоже еврей, но туда не желает. Он жил несколько лет в Америке, вернулся, теперь здесь работает, неплохо устроен... А к сыну я раз в два года езжу, и он один раз приезжал.

— А вы по-прежнему в нашей школе...

— Да, уже тридцать пять лет, хотя теперь ее называют гимназией.

— И литературный кружок ведете?

— Подымай выше! Теперь у нас литературная студия!

— И много писателей вышло из вашей студии?

— Писателей — шесть! Но хороший только один, Дмитрий Лунин! Читала?

— Нет. А что он пишет?

— Детские книжки.

— А как вообще вам живется, Сусанна Лазаревна? Говорят, учителям тяжело приходится?

— Учителям у нас всегда тяжело приходится, — улыбнулась Суса. — Думаешь, в прежние времена мне легко жилось с двумя детьми? Но зато сейчас никто не мешает мне совмещать, я преподаю еще в колледже. И никто не лезет в работу студии. Мы обсуждаем тех писателей, которые нам интересны, читаем что захотим. А знаешь, как я радуюсь осенью, после каникул, когда ребята пишут сочинения «Как я провел лето»! Где только они не бывают... Одна девочка была даже на Сейшельских островах! И написала просто поразительное сочинение! Необыкновенно талантливое! А когда-то один мальчик, Коля Стрепет, сын дипломата, провел каникулы у родителей на Цейлоне...

— И что?

— Меня вызвал директор, еще до сочинения.

— Бобсон?

— Нет, еще до Бобсона! Кстати, ты знаешь, он умер?

— Да, знаю. И теперь директор Керосинка...

— Ты помнишь все школьные прозвища?

— Многие! Так что было с тем сочинением?

— А... Директор вызвал меня и заявил: «Скажите Стрепету, чтобы он не писал о Цейлоне». Я страшно удивилась: это ведь такая интересная экзотическая страна. Но он мне с серьезнейшим видом ответил:

«Цейлон — страна капиталистическая, и нечего разжигать интерес подростков... Нездоровый интерес! Вот если бы родители Стрепета работали на Кубе, дело другое». Я пыталась возражать, но быстро поняла, что это бессмысленно.

— И что было дальше? — заинтересовалась я.

— Я на перемене отозвала Колю в сторонку и, краснея и запинаясь, попросила его написать что-то другое... Парню было уже лет четырнадцать, умный был и, как теперь говорят, продвинутый, он посмотрел на меня с жалостью и сказал: «Ладно, Сусанна Лазаревна, напишу что-нибудь глубоко посконное...» Я чуть со стыда не сгорела! А он опять усмехнулся и говорит: «Правда, весь класс знает, что я был на Цейлоне, так уж лучше я вообще на это сочинение не приду! Заболею, все лучше, чем врать! Ведь наша школа и родная партия учат нас всегда говорить правду!» Кстати, из этого парня получился замечательный журналист, честный, бескомпромиссный...

— Как я рада, что встретила вас вот так, отдельно от всех!

— Я тоже, Диночка! Ты стала такая... Иностранка!

— Боже мой, да что ж во мне иностранного! Мне все это твердят в один голос...

— А ты себя тут иностранкой не чувствуешь?

— Нет! Я чувствую себя тем, что я есть, — женщиной, которая двадцать с лишним лет не была в родном городе, только и всего.

— Ну и как тебе Москва?

— Я в полном восторге!

— Мне приятно это слышать... Я горжусь Москвой!

— Сусанна Лазаревна, вот вы где! — раздался знакомый голос. — А я вас ищу! О, Динка, кого я вижу!

К нам подбежала Тося Бах.

— Хорошо, что я тебя встретила, надо поговорить. Я вам, Сусанна Лазаревна, материальчики для стенгазеты привезла! Вот тут, посмотрите!

Она передала Сусе папочку с какими-то вырезками. И пока та просматривала их, села рядом со мной.

— Динка, не сердись на меня... Я, наверное, вела себя как последняя идиотка, но... Я не хотела, чтобы ты опять...

— Господи, Тося, что это? — испуганно воскликнула Суса, указывая на большой и яркий снимок — Костя держит на руках Оську, а на втором снимке Оська стоит посреди бассейна, вода ему по грудь, а с головы свисают водные растения. На третьем снимке Вовка Марков с несчастным лицом разводит руками.

— Тося, что это значит?

— Вчера было у Маркова в ресторане!

— Но зачем ты это привезла?

— Люди повеселятся! Только и всего!

— А кто этот мужчина в воде?

— Оська Левин, не узнали?

— Левин? Ну, значит, Костя не зря его побил! Удивительно бестактный парень, всегда был и, видимо, таким и остался!

— Кстати, прекрасная подпись для этих снимков: «Каким ты был, таким ты и остался!» — воскликнула Тоська.

— Костя уже взрослый, солидный мужчина, отец и постоянно дерется! — сокрушенно сказала Суса. Видно было, что он ее любимчик. — А Левин... всегда был малосимпатичным... Меня никто не сможет обвинить в антисемитизме, — засмеялась она. — Но факт есть факт.

— Обрати внимание, что тебя нигде не видно, я постаралась, — шепнула Тоська, дружески сжимая мою руку.

— Спасибо, — искренне шепнула я в ответ.

— Ну что, девочки, мне пора! Не уверена, что использую эти снимки для нашей газеты...

— Ну и зря! Народ бы проперся!

— Тося, ну что за выражения!

— Простите, Сусанна Лазаревна, я сегодня не в себе, давление скачет, ночь бессонная... Я на машине, давайте подброшу вас!

— Меня никуда подбрасывать не надо, за мной уже приехали! Вон машина моего зятя! Ну, значит, через несколько дней увидимся!

— Золотая тетка! — вздохнула Тоська. — Ну, а тебя куда подбросить?

— На Сретенку, я вдруг устала, все утро тут бродила...

— Слушай, Костя разозлился на меня?

— Да нет, Тоська!

— Понимаешь, я вчера открытку от сына получила... с видом какого-то ламаистского монастыря, ну и расстроилась, раздергалась...

— Что он пишет?

— Ничего! Привет, мама, я жив-здоров, чего и тебе желаю! И все, ни слова больше. Лучше б и не писал, не бередил душу...

— Да нет, лучше знать, что хотя бы жив-здоров. Значит, все-таки помнит о тебе, любит... И я думаю, Тоська, что он скоро вернется.

— Почему ты так думаешь?

— Потому что ты сама мне говорила: он присылает открытки только ко дню рождения, а день рождения у тебя в ноябре, насколько я помню.

— Динка, мне это в голову не пришло! — всплеснула руками Тося. — Действительно, только ко дню рождения... Может, и вправду ему там надоело? Только бы он без этой сучонки приехал...

— Ох, Тоська, тебе дай палец, ты всю руку откусишь.

— Это да! — рассмеялась она. — Смотри-ка, оказывается, иногда мечты все-таки сбываются. У Иванишина уж такая безнадежная мечта сбылась! — Она весело мне подмигнула. — Вы теперь что, поженитесь?

– С ума сошла?

– А что? Конечно, такого мужа иметь не приведи господь, но и отказаться добровольно невозможно. Он тебе предложение сделал уже?

– Даже и не думал.

– Ну да, привык быть вольным стрелком, – вздохнула Тося. – Слушай, – она как-то интимно понизила голос, – как с таким мужиком, а?

– Ты о чем?

– О том! Интересно просто... Он как... ну, в этом смысле?

– Нормально! – Мне не хотелось развивать эту тему.

– Но ничего особенного?

– Тоська!

– Ох, прости... Я думала, по старой дружбе... А ты бы вышла за него?

– Говорю же, вопрос так не стоит!

– А если встанет?

– Вот если встанет, тогда и буду думать!

– Ага, раз будешь думать, значит, уже не исключаешь такого варианта!

– Тоська, а что это за стенгазета? – решила я сменить тему.

– Да это мы придумали, чтобы сразу повеселить и объединить... ну, после стольких лет! И старые фотки в ход пустим, и новые, какие удастся надыбать... Вообще-то идейка нехилая.

— Посмотрим!

— Да ты что! Суса же взялась, она доведет до конца! А ты в курсе, кстати, что у нее был когда-то роман с Бобсоном?

— Да ты что? — ахнула я.

— А что, он был мужик... А Суса, помнишь, какая лапочка была? Маленькая, изящненькая, а он такой биндюжник... Но у него жена была больная, он не мог ее бросить, и Суса одна детей растила. Очень, говорят, страдал, оттого так рано и умер, сердце надорвал...

— А дети у нее от него?

— Сын от ее покойного мужа, а дочка вроде от него...

— Слушай, откуда сведения? Мы же тогда ничего этого не знали?

— Да, они умели сохранять свои тайны, но, как говорится, нет ничего тайного... Помнишь тетю Гриппу?

— Нянечку?

— Я ее на похоронах Бобсона встретила, она поддала на поминках и выложила мне все.

— А как ты попала на похороны Бобсона? Ты что, поддерживала с ним отношения после школы?

— Ага! Я после института в «Учительской газете» работала, а он, ты же помнишь, педагог-новатор был и все такое... Он много статей писал, когда перестройка началась... Хороший был мужик, очень.

— Ох, я ж ничего этого не знала, ей, наверное, неприятно было, когда я его Бобсоном назвала...

— Ничего подобного, она сама всегда его Бобсоном зовет. Как жизнь иногда складывается... Вот поженились бы они, какая могла бы быть семья! Всем на удивление, но...

— Да, наверное, но, как говорит моя тетка, это все-таки в сослагательном наклонении. А хорошо, что мы тогда ничего об этом романе не знали...

— Почему?

— Начались бы хиханьки да хаханьки, дурацкие шутки...

— О, кстати о дурацких шутках! Помнишь коронную фразочку Маркова?

— Кажется, да... Деуки, снимайте плауки, будем делать приуиуки?

— Точно! Какая чепуха оседает в голове, согласись?

— Соглашаюсь! Двадцать пять лет не вспоминала эту фразу, а тут с ходу вспомнила!

— Ну вот и твой Луков переулок.

— Зайдешь?

— Нет, что ты, времени нет совсем. Но я рада, что мы поговорили. И спасибо тебе!

— За что?

— За то, что сказала про открытку не ко дню рождения. Пока! Будем держать связь. Иванишину привет!

В квартире я сразу схватилась за мобильник. Он показывал, что есть неотвеченные звонки и письменное сообщение от Рыжего: «Динь-Динь! Времени на раздумья все меньше, надеюсь, жду встречи! Не смог дозвониться. Скучаю страшно. Рыжий». В животе стало тепло. И почему-то обрадовало то, что он подписался «Рыжий». Но он напоминает о том, что скоро приедет и потребует ответа... Что я могу ему ответить? Что влюблена в другого? У меня язык не повернется. Я окончательно поняла, что влюблена в Костю, когда увидела снимок с Левиным. У Кости там такое потрясающее выражение лица... Веселая злость. Мне так оно понравилось! В ресторане я ничего этого не успела заметить, а на фотографии... Аж мороз по коже! Тогда почему от сообщения Рыжего такое тепло в животе? Бред! Но первым делом надо позвонить Додику, вдруг дома что-то случилось?

— Ты что к телефону не подходишь? — с ходу накинулся он на меня.

— Просто не слышала! Как ты? Как звери?

— Ну, Кукс, как всегда, в черной меланхолии, а остальные цветут!

— А ты?

— Я цвету пышным цветом! А вот как ты? Что-то голос у тебя какой-то...

— Какой?

— Ты там, часом, не влюбилась?

– Откуда ты знаешь?

– Ну вот, я это предчувствовал! И кто объект?

– Сама не знаю!

– То есть как?

– Их двое, Додька, и я никак не могу разобраться!

– Тогда нужен третий! И лучше меня не найти!

– Да ну тебя, я же серьезно!

– Давай быстро установочные данные!

– Что?

– Слушай, подруга, ты там что, окончательно сдурела? Самых элементарных вещей не понимаешь? Кто эти мужики?

– Ах, боже мой, это неважно, но я влюблена в обоих!

– И спишь с обоими?

– Пока нет...

– Прэлэстно, просто прэлэстно! Ну тогда совет простой – переспи со вторым и выбери, который лучше.

– Но это же не главное!

– Ну, если не главное, то... Выбери того, кто говорит больше комплиментов!

– Оба!

– Тогда того, кто красивее...

– Красивее Костя...

– А второго как звать?

– Рыжий.

– Рыжий? Оригинальное имя!

— Ну, вообще-то он Сергей, но...

— Динка, ты там придуриваешься?

— Да почему? Я серьезно...

— Ну, а я не могу всерьез обсуждать такую чихню! — вдруг разозлился Додик. — Я вот что скажу: хватит, погуляла и будет, хорошенького понемножку. Бросай все и возвращайся, поживешь в привычной обстановке и успокоишься. На расстоянии тебе все станет понятно. Знаешь, как звучит твой диагноз? Перевозбуждение примитивной личности! Если столько лет жить анахореткой, а потом попасть в такую молотилку, как Москва, поневоле умом тронешься! А еще родственные связи и два мужика на одну твою слабую головку... Серьезно говорю, возвращайся!

— И не подумаю!

— Ну и дура! Тогда сама разбирайся со своими кобелями и не проси совета!

— А я и не прошу! Ты чего орешь?

— Хочу!

— Ну ори сам на себя, пока!

— Подожди! Скажи-ка мне, им сколько лет? Там какой-нибудь юноша не затесался лет двадцати пяти?

— Нет, оба мои ровесники!

— Странно!

— Почему?

— Значит, ты еще сохранила остатки разума, это радует. Ну ладно, я что-то устал... Я, между прочим, всегда подозревал, что ты абсолютно примитивная личность... Развесила уши от комплиментов, растерялась... Это несовременно, Диночка! И нерафинированно! Утонченная дама просто спала бы с обоими, причем не поочередно, а одновременно! Это было бы в духе времени, а ты...

— Да пошел ты со своими советами!

— Я ж говорю — примитивная ты личность! Ну пока!

От этого идиотского разговора у меня разболелась голова, от двух кусков торта заболел живот, от бессонной ночи слипались глаза. И я не нашла ничего лучше, как завалиться спать.

## Глава пятнадцатая
## ПРОСТО ТАК – НЕ НАДО!

Но сна не было. Я поворочалась с боку на бок, включила телевизор, но ни на чем не смогла сосредоточиться. Звонить отцу и Муре не хотелось. Я ждала звонка от Кости, но он не звонил. Утром мы как-то ни о чем не договорились, и я не знала, увидимся мы сегодня или нет. И это меня до крайности нервировало. А самой позвонить ему мешал страх: вдруг я попаду в неподходящий момент, и он как-нибудь не так мне ответит или решит, что я теперь буду его преследовать... Нет уж, лучше не звонить... Приятно, конечно, быть влюбленной, что там говорить, но сразу начинаются такие вот идиотские сомнения и страхи, поэтому лучше, просто несравненно лучше, когда влюблена в двоих сразу. Один не звонил, зато второй прислал сообщение, по крайней мере, не чувствуешь себя брошенной. И тут зазвонил городской телефон. От неожиданности я вскочила как ужаленная.

— Алло!

— Привет, сестра! Ну ты даешь!

— Нелли! Привет! Ты о чем?

— Отбиваешь мужика у двадцатилетней? Круто! Я в восторге, надо у тебя школу пройти!

— Нелли, что за бред?

— Ничего не бред! Все газеты, можно сказать, полны... Константин Иванишин вступился за честь своей дамы! Артист Иванишин появился на модной тусовке с таинственной незнакомкой лет сорока, по-видимому, иностранкой, которая, как выяснилось, и есть та «девочка Дина», в любви к которой он признался недавно на всю страну, и все в таком роде! Будешь отрицать?

— И не подумаю!

— Подробно расскажешь?

— И не подумаю!

— Супер! Я от тебя тащусь! Когда увидимся?

— Хоть сейчас!

— Класс! А ты не хочешь сходить в театр какой-нибудь? Я куда хочешь могу протыриться!

— Нет-нет, никаких театров, я не в состоянии сосредоточиться!

— Слушай, а что твой Рыжий? Иванишин победил?

— Это надо обсуждать по телефону?

— Ты права, ну так какая программа?

— Ты где находишься?

— На Неглинной.

— Тогда приходи пока ко мне, а там что-нибудь придумаем.

— Годится, говори адрес!

Она примчалась очень быстро, ослепительно красивая и какая-то уже родная. Мы нежно обнялись и расцеловались.

— А квартирка будь здоров, для холостой жизни самое оно! — восторгалась Нелли, заглядывая во все уголки.

— Экзамен как сдала? — вспомнила я.

— Что значит препод! Сразу про экзамены! Сдала, сдала, на четверку! Нормалек! Слушай, а ты газеты видела?

— Нет, и не хочу! А ты читаешь желтую прессу?

— Вообще-то крайне редко! Но тут Златка примчалась вся в слезах, она отслеживает своего кумира...

— И ты поспешила ей сообщить, что это твоя сестра?

— Да с какого перепугу? Но она и сама все поняла! Там же сказано, что таинственная Дина оказалась старшей дочерью известного художника Юрия Шадрина. Как дважды два четыре! Я только не сказала Златке, что мы с тобой уже встретились и даже подружились, мы же подружились?

— Несомненно.

– Ну и что теперь будет? Рыжего побоку? Замуж за Иванишина пойдешь?

– Глупости, мы просто школьные друзья!

– Да ладно тебе, Дин, там же ясно сказано: «Несмотря на то, что Иванишин был пьян, он весьма уверенно вел свой «лендровер», увозя даму сердца в неизвестном направлении. Впрочем, неизвестным оно останется лишь для читателей, ибо наш корреспондент прекрасно знает, где этот «лендровер» простоял до половины десятого утра!»

– Что, так и написано?

– Слово в слово. У меня память фотографическая.

– Черт знает что!

– Гордись, сестричка! Какого шуму наделала в твоем-то возрасте! Ты лучше скажи, за что он того мужика побил?

– Он не бил его, просто швырнул в бассейн.

– Он вообще нервный товарищ! Сколько уж раз драки устраивал... Но сейчас ему нервы еще попортят. Златка рвет и мечет! Собирается устроить скандал!

Я молча пожала плечами. Мне совсем не понравилось, что уже вся Москва знает о нашем романе. Да, история... Надеюсь, хоть Рыжий не читает желтую прессу!

В результате мы весь вечер гуляли по Москве, болтая обо всем на свете, и чем больше я узнавала свою младшую сестру, тем больше она мне нравилась. В результате я добралась до дому еле живая и сразу уснула мертвым сном. Однако сон оказался не таким уж мертвым, и мне приснился любимейший торт моего детства. Он назывался «Идеал». С виду совершенно неинтересный — присыпанный сахарной пудрой и с какой-то геометрической фигуркой в одном углу. Фигурка была жесткая и невкусная. Зато сам торт! Вот уж воистину идеал! Толстые вафли, прослоенные шоколадным кремом. От крема вафли слегка размягчались и... Мечта! Вот этот торт мне и приснился! Только он был огромный, куда больше реального. И я знала во сне, что мне предстоит его съесть. С одной стороны, у меня текли слюнки, но с другой — я понимала, что если съем его весь, то никогда уже не смогу смотреть на сладкое, а это будет жалко... Но выхода, очевидно, нет, и надо браться за торт... Не хочу! При таких условиях не желаю, не буду! А торт все разрастался, он уже надвигался на меня, грозя просто похоронить меня под своей громадой. Я проснулась в ужасе. Что бы это значило? Наверное, Додька прав, и мне надо просто уехать! И все решится само собой. А что, собственно, решится? Ровным счетом ничего! Решить могу только я сама! Легко сказать... Решить — значит выбрать... А сбежать — малодушно и глупо. Сбежать и сдохнуть с тоски в этом клятом Маасмехелене? Только в состоянии глубочайшего отчаяния можно было поселиться в этой дыре, хотя с виду она вполне симпатичная, эта дыра... Да и вся моя одинокая жизнь с момента отъезда из Москвы — не моя! Она была всякой, в ней были взлеты и падения, горе и радости, но жизнь была — не моя! А я хочу жить своей жизнью, мне еще не поздно! И судьба подкидывает мне шанс. Но выбрать я не могу! Вот пусть судьба сама и распорядится.

Я побрела на кухню, открыла холодильник. Пусто. Вчера я так и не удосужилась купить продукты. На часах еще нет семи. Осуществлю-ка я свою идею, посетившую меня в первый день, — съезжу на Рижский рынок, там рядом, говорят, круглосуточный супермаркет. Заодно куплю цветов, чтобы в квартире было уютно, когда приедет Рыжий... Или Костя придет... Тьфу! Вот напасть!

Я выпила кофе с сухим ошметком сыра, оделась и вышла на улицу. Погода была неважная, сыпал мелкий дождик, и я решила поехать на метро. В метро было душно. Помню, в детстве в метро, наоборот, было прохладно... Или это аберрация памяти? На Рижской ничего не узнать, кроме здания Рижского вокзала. Новая эстакада, универмаг, супермаркет... Начну с супермаркета. Внизу в рыбном отделе чего только нет... Я купила семги и тут же вспомнила, как маленькой девочкой мы с отцом зашли в рыбный магазин на улице Горького, где стояла громадная очередь. За семгой. Это был какой-то праздник, вернее, какая-то годовщина, дата, и по этому случаю «выкинули» семгу. Отец тогда был красив и



10–2

молод. Он выбрал в очереди стареющую даму, подошел к ней и спросил, обращаясь к очереди: «Простите, кажется, я занимал вот за этой интересной дамой?» Она вспыхнула и быстро сказала: «Вы занимали передо мной!» И пропустила его. Дама всячески заигрывала со мной, папа был очаровательно любезен, и в результате мы купили килограмм вожделенной семги. А я в этой очереди узнала многих знаменитостей: диктора телевидения, эстрадную певицу и старую актрису МХАТа, которая погладила меня по голове и сказала со вздохом: «Бедная девочка, твоим детям семги уже не видать как своих ушей!» А как отец гордился, что мы с ним добытчики!

Выйдя из магазина, я растерялась. Где же рынок? Очевидно, вон там. Точно! Я не помнила, таким он был раньше или нет? Провал в памяти. Хорошо помнила только Тишинский, Палашевский и Центральный, а Рижский — нет. Но мне понравилось тут. Я сразу устремилась к мясному прилавку, высматривая парную телятину, как вдруг какая-то женщина выронила сумку, из которой посыпались помидоры. В руках у женщины были еще пакеты и хозяйственная сумка, она заметалась, куда бы их поставить. Я инстинктивно нагнулась и стала собирать помидоры.

— Ой, спасибо, ну что вы, не надо, — бормотала женщина, и в какой-то момент мы с ней чуть не столкнулись лбами.

— Дина? — ахнула она.

Я всмотрелась в нее, что-то страшно знакомое...

— Не узнаешь? Я Надя Коваль, помнишь меня?

— Надька!

Мы обнялись, потом собрали помидоры и отошли к пустующему прилавку.

— Господи, Динка, какая ты стала!

— Только не говори, что я иностранка!

— Да нет, просто совсем другая, худая очень, раньше ты полнее была. А я наоборот! Ну до чего ж я рада тебя видеть! Все хотела тебе позвонить. Костя сказал, что ты здесь! А ты чего в такую рань на рынок приперлась?

— Да в доме ничего нет! Говорят, у тебя три сына?

— Костя сказал?

— Костя и Тоська. Ну как ты живешь?

— Ай, разве это жизнь? Кручусь как белка в колесе, по-хорошему бы надо бросить работу, все-таки трое парней, не шутка, но не могу, без театра жизни мне нет, я все три раза в декрет в последний момент уходила и просто с тоски пропадала, пока на работу не выйду! Хоть это и гадюшник, но без него уже не могу.

— А как парней-то зовут?

— Евгений, Борис и Вячеслав! По отчеству Львовичи! А про тебя я в общих чертах уже знаю. Но Костя-то наш каков стал?



10-4

— Да... — промямлила я. Догадывается она или нет?

— Ты его на сцене-то видела?

— Нет, он меня не пустил на спектакль.

— Вот дурной! А ведь хороший актер, первоклассный, можно сказать.

— Надька, а муж тебя к актерам не ревнует? Ты такая хорошенькая, аппетитная, прелесть просто!

— Да нет, он знает, я актеров за мужчин не держу!

— Почему?

— Ну ты что? Правда, и муж у меня мужик только по названию...

— Ничего себе, а трех детей как завела?

— Да разве в этом мужик проявляется? Мужик должен быть опорой... А мой... ему самому опора нужна... ладно, фиг с ним, не хочу! А у вас с Костей что, серьезно?

— Ты о чем? — я притворилась, что не поняла вопроса.

— Динка, вся Москва уже знает про ваш роман! Я, например, как Костю увидала, сразу поняла — в очередной раз влюбился, а он мне сразу про то, что Шадрина в Москве! Все без слов понятно! А вчера в газетах... слушай, Динка, у меня со временем зарез, я на колесах, пошли, подброшу тебя куда-нибудь, ты где живешь?

— На Сретенке.

— Подвезу. Ох, мне еще тут кое-что купить надо.

— Мне тоже.

— Вот и хорошо! Через десять минут встречаемся вон у того выхода.

Когда мы загрузились в ее старенькие «Жигули», Надя сказала:

— Динка, любишь Костю?

— Слушай, это...

— Меня не касается? Понимаю, но если любишь, бери дело в свои руки!

— То есть?

— Жени его на себе! Ему пора уже завязывать с холостой жизнью, а ты на эту роль подходишь! Только ему нужна настоящая жена, имей в виду!

— Что значит настоящая?

— Ну чтоб душу в него вложила... Заботилась бы о нем — мамка, одним словом. Он вчера встречает меня в театре, отводит в сторонку и говорит: «Надюша, ты в состоянии посмотреть на меня непредвзято?» «Вполне», — говорю. А он: «Мне вчера одна баба сказала, что у меня всегда неухоженный вид!» Это не ты случайно ему сказала?

— Да нет, — рассмеялась я и рассказала, как было дело.

— Фигня, да? А он, знаешь, как расстроился? Просто ни о чем другом говорить не мог.

— Надеюсь, ты его разубедила?

— Ну еще бы! Но мне это надо? Я и так у него заместо жилетки. И девок отваживаю, знаешь, у него сколько девок? Они вокруг плясы устраивают, а он и поддается. Ему жениться пора! Динка, он тебя столько лет любил, ты одинокая, выходи за него, по крайней мере, хоть жена интеллигентная, приличная будет, а не эти профурсетки... Он хороший парень, но его надо в руках держать. Первое время он еще по старой вольной привычке колбаситься будет, а потом ничего, осядет, самому уж небось холостяковать надоело... Его ведь понять надо, а эти сопливки разве поймут...

Не знаю, поймут или не поймут Костю сопливки, но я отчетливо поняла — Надя сама без памяти любит Костю, давно и безнадежно. Вероятно, когда-то у них что-то было, а потом у нее хватило ума сохранить с ним дружбу, стать ему необходимой... И я почти уверена, что в какой-то момент, когда ему будет по-настоящему плохо, она бросит своего мужа и, несмотря на троих детей, вложит-таки душу в Костю... Если я до того не вложу в него свою душу... или кто-то еще. И Надька с этим смирится. Она подружится со мной или с кем-то еще... Она, скорее всего, даже себе самой не признается в этой любви... И уговаривает меня, абсолютно искренне желая ему добра. Вот это любовь! Я на такую просто не способна. Она и троих детей родила, чтобы избавиться от этого чувства...

— Динка, ты чего задумалась?

— Да так...

— Правильно, ты подумай, подумай над моими

словами! Но если не любишь по-настоящему, не надо за него идти...

— Надя, ты все это сама придумала. Никто жениться не собирается.

— Кто знает, может, и соберетесь... Так ты запомни — просто так, потому что красивый и знаменитый, — не надо! Просто так с ним не получится. Куда тут повернуть?

— Спасибо, Надюшка, вот здесь остановись, я дойду! Ты на встречу-то придешь?

— Обязательно! Ну, рада была повидаться!

Мы расцеловались, и я вылезла из машины.

— Запомни мои слова! — крикнула она, отъезжая.

А мне вдруг стало тоскливо. Я очень ясно себе представила, что, если выйду замуж за Костю, все вокруг начнут меня учить, как надо с ним обращаться, а в первую очередь Надя. «Дина, ты не понимаешь, он артист, ему этого нельзя, этого нельзя, а вот то ему просто необходимо, а ты куда смотрела?» Но в одном Надюшка права: Косте нужна «настоящая» жена, иными словами, клуша, которая будет падать в обморок, услыхав, что у него неухоженный вид. А я разве способна стать такой? Просто не знаю, не пробовала. А может, это и есть мое призвание, которого я не осознавала раньше? Я прислушалась к себе. Не заноет ли сердце в стремлении стать клушей? Не заныло. Значит, не это мое призвание... Или Костя не тот человек, ради которого я готова квохтать и хлопать крыльями? А Рыжий? Рыжий и вовсе к квохтанию не располагает. Ах, боже мой, я опять заблудилась в двух соснах... От всех этих не слишком глубоких мыслей проснулся аппетит. Я сварила себе кофе, сделала два бутерброда с семгой и в предвкушении вкусного завтрака включила телевизор. Но тут зазвонил телефон. И кто это в такую рань? Мура!

— Динка, ну куда ты пропала опять? Закрутилась с кавалерами? Я тут вчера тебя по телевизору видела!

— Меня? — ахнула я.

— Представь себе! Мне не спалось, я включила... Есть такая ночная программа: «Тусуйтесь с нами!» Я никогда обычно ее не смотрю, а вчера черт меня дернул, и там была ты, и Костя твой, и Юра...

— Да, у вас тут не скроешься! И не соскучишься!

— Вы с Костей изумительная пара! Как выражается Майка, просто супер!

— А драку тоже показали?

— Драку? Нет, а кто дрался?

Я в двух словах ввела ее в курс дела.

— Какая прелесть! Я всегда мечтала, чтобы мужики из-за меня дрались...

— Насколько я помню, твои мечты нередко сбывались?

— О да! Я просто неверно выразилась. Я не мечтала, я обожала, когда они из-за меня дрались, а теперь у меня...

— Вася! — докончила я начатую ею фразу, и мы обе рассмеялись.

— Динка, ну до чего ж ты все-таки родная душа, — умиленно проговорила Мура. — А я вообще-то чего тебе звоню. Завтра утром прилетают мои, и завтра же у Васи день рождения. Мы всегда отмечаем, будут гости, ты приедешь?

— Обязательно! Ой, только надо успеть прочитать Васину книгу, у меня минутки не было...

— Да ладно, он же тебя экзаменовать не станет! Успеется! Ты мне другое скажи. У тебя какие планы на сегодня?

— Пока никаких, а что?

— Не могла бы ты мне помочь?

— В чем?

— Да понимаешь, надо кое-что купить для дня рождения, а у меня тут дел невпроворот.

— Куплю, в чем проблема! Ты дай мне список, возьму такси и все привезу!

— Динка, я знаю, ты настоящий друг! Ты не думай, я тебе денежки отдам!

— Слушай, с этим мы разберемся! Только я хочу сначала съездить на кладбище... Я так замоталась тут, так загулялась, что...

— Мы же хотели вместе, — огорчилась Мура.

— Мы потом вместе еще съездим, а пока я одна...

— Хорошо, хорошо, как хочешь.

— Тогда так сделаем: я сейчас поем и прямо поеду на кладбище, потом займусь покупками. И если нужна будет помощь поваренка, я тоже готова...

— Хочешь сбежать от кавалеров? — усмехнулась Мура.

— Ну не то чтобы... Но есть и этот момент.

— Буду только рада побыть с тобой вдвоем, есть один разговор, достаточно деликатный... Ну давай, бери ручку и записывай, что надо купить.

Список получился весьма внушительный.

— Мне стыдно тебя обременять! — виновато проговорила Мура.

— Чего не сделаешь ради любимой тетушки!

— Динка, а ты могилу-то найдешь?

— По главной аллее до конца, потом направо и налево.

— Правильно. Там все убрано, цветочки, то-се, ты не думай, только вот надпись надо освежить, я никак не соберусь.

— Там это можно сделать, ну, найти кого-то?

— Да, сейчас это не проблема, кажется.

— А цветы там можно купить?

— Знаешь, там лучше не покупать, они там убогие и очень дорогие.

— Хорошо, что предупредила, спасибо! Ну, до встречи!

Я почувствовала облегчение оттого, что распланировала свой день без учета Кости и Рыжего. Этот день я посвящу маме и Муре. И может, побывав на маминой могиле, обрету какое-то равновесие.

## Глава шестнадцатая
## НАСОВСЕМ

У ворот Донского кладбища сидели нищенки. Чуть поодаль старушки торговали довольно жалкими букетиками и стояла тетка с полузавядшими гвоздиками и большим выбором уродливых искусственных цветов. Но у меня было с собой четырнадцать белых роз. Мама их очень любила. Я сразу заметила, что крематория тут больше нет, вместо него теперь часовня. Это куда приятнее. Я не любила ездить на кладбище именно из-за крематория. Тут всегда раньше стояла очередь из автобусов с покойниками и родственниками, всюду слонялись заплаканные и не очень люди, многие вели совсем не подобающие случаю разговоры, и никакого мира, который, по моим представлениям, должен царить на кладбище, не ощущалось. Впрочем, на российских кладбищах мир вообще не ощущается. Покойники — они уже покойники, а живые продолжают вокруг них свою суету. У кого камень побольше, у кого оградка пофасонистее... Но все же сейчас тут зелено и по-утреннему тихо. А вот и мамина могила. «Марфа Сергеевна Северцева 1939–1975». Боже, какой молодой умерла мама, и можно сказать, умерла от любви... А надпись и в самом деле неплохо бы подновить. На могиле росла травка, и был прикопан красивый керамический бочонок с каким-то краснолистным растением. А розы-то поставить не во что. Но тут на глаза мне попалась пустая литровая банка. Она валялась между двумя могилами и была, по-видимому, ничья. Я вымыла ее под краном, что находился неподалеку, и поставила розы у плиты. Красиво получилось. Я присела на крохотную скамейку. Молодец, Мура, это, конечно, она поставила тут скамейку. Значит, приходит посидеть у могилы старшей сестры. Мама тут не брошена. Она не хотела, чтобы на ее могиле стояла фамилия отца, и хотя по паспорту она оставалась Шадриной, но перед смертью сказала Муре, что на могиле надо написать ее девичью фамилию. Она и перед смертью его не простила... А я теперь всем все простила, кроме паучих... Мои родственники руководствовались разными мотивами, но только не завистью. Да они и не клеветали на меня, а просто жили своей жизнью, в которой я занимала очень мало места, только и всего. Но вполне возможно, что я сама в этом виновата... А вот арахнофобия — это моя болезнь, и видно неизлечимая, тут не спасает даже чувство юмора...

Наконец я встала и пошла туда, куда указывала стрелка с надписью: «Граверные работы». Объяснила какому-то мужчине, что мне нужно, он позвал молодого бородатого парня в шортах с симпатичным лицом и трезвого как стеклышко. Он пошел со мной, подсчитал буквы, сказал, сколько это будет стоить, и взял мой телефон, пообещав позвонить через три дня. А я опять села на скамейку. Почему-то мне было тут хорошо и спокойно, не хотелось уходить. Вдруг ко мне подошла старушка в темном платочке:

– Женщина, я, конечно, извиняюсь, но вы бы розочки покороче обломали.

– Зачем?

– Так упрут же!

– Что?

– Розы ваши упрут и продадут прямо за воротами, а надо, чтобы у них был нетоварный вид...

– Но ведь это будет некрасиво!

– Так упрут же, если красиво! И травку бы полить не мешало.

С этими словами доброжелательная старушка удалилась. Розы я ломать не буду, а траву полить и вправду надо. Но из чего? И тут я заметила пожилого мужчину с небольшой лейкой в руках.

– Простите ради бога, – обратилась я к нему, – вы не дадите мне лейку буквально на пять минут?

– Разумеется! – Он протянул мне лейку. – И не торопитесь, я тут еще побуду.

— Огромное вам спасибо! — Я схватила лейку и пошла за водой. Когда я возвращалась, то на могиле, что рядом с маминой, увидела сидящего на корточках мужчину, который что-то собирал с земли. Ну вот, теперь уже спокойно не посидишь. Значит, полью траву и красный цветок, верну лейку и поеду за покупками для Муры. Но мужчина сидел так, что его зад нависал над моим газончиком.

— Извините, пожалуйста, вы не могли бы немного подвинуться, мне надо тут полить...

Он обернулся и...

— Господи, Рыжий, это ты?

— Динь-Динь? — ошеломленно произнес он. У него было измученное лицо.

— Что ты тут делаешь? — пробормотала я.

— Тут могила мамы, сегодня день ее смерти...

Он в Москве? И не звонил? — пронеслось у меня в голове.

— Я только с самолета... Даже переодеться не успел, сразу сюда, а ты тут какими судьбами?

— Это могила моей мамы, они же рядом... Странно, да? Что с тобой, Рыжий?

— Все плохо, Динь-Динь! Лешка, мой друг... Он повесился в тюрьме... Его крупно подставили, и он сломался. Я не успел, Динь-Динь...

Скамейка на могиле его матери была побольше, мы сели рядом.

— Ты чувствуешь свою вину, Рыжий?

– Нет, просто очень больно... У него осталась жена, двое детей и больная мать...

– Но ты ведь им помог, правда?

– Ну, чем смог...

– А я могу чем-то помочь?

– Им? Нет.

– А тебе?

– Ну если только напьешься со мной в зюзю... – грустно улыбнулся он.

– Тебе обязательно напиться в зюзю?

– Да, Динь-Динь, ты уж прости, такое дело... Ну так как насчет напиться вместе?

– Сегодня не выйдет. Ты на машине, Рыжий?

– Да, тебя куда-нибудь подбросить?

– До первого попавшегося супермаркета... – Я объяснила ему свою задачу.

– Хорошо. Хочешь, отвезу в Рамстор на Шереметьевской, мне по дороге...

– По дороге в зюзю?

– Нет, пока на работу. А зюзя уж потом.

Но он продолжал сидеть, глядя в одну точку и сцепив на коленях свои громадные лапы. Мне было его так жалко, что комок стоял в горле.

– Рыжий, не мучайся... Скажи, ты почему без цветов? На могилу надо цветы...

– Что? Прости, я не расслышал.

– Нет, ничего.

Я достала из банки четыре розы и положила на могилу его матери.

— Ладно, Рыжий, ты тут посиди один, я пойду.

— Спасибо, Динь-Динь...

Я быстро полила траву, вернула лейку и пошла к выходу. Бедняга Рыжий... Но, видно, я ему не больно-то нужна. Он умеет справляться в одиночку со своими бедами, я ему только мешаю. В глубине души я надеялась, что он меня догонит. Но нет.

Поймать машину у монастыря не удалось, и я пошла пешком на Ленинский. Запел мобильник.

— Шадрина, ты где сейчас?

— На Ленинском.

— В каком месте? — Голос Кости звучал весьма взволнованно.

— Улица Стасовой, а что?

— Надо срочно повидаться!

— Случилось что-то?

— Да!

— Судя по ликующим ноткам, что-то хорошее?

— Наверное... Во всяком случае, весьма знаменательное! И первой я хочу рассказать тебе! Могу подъехать за тобой минут через двадцать. Тебе там есть куда деться на двадцать минут?

— Найду! Тут напротив магазин ковров, я буду возле него.

— Договорились. Целую!

У одного горе, у другого радость... А Рыжий так и не спросил, что я решила... Ему не до того, вполне понятно. Более того, в этом есть известная деликатность. Он не хочет ставить меня в такое положение, когда пришлось бы отказать человеку и без того убитому горем... Или он об этом и не вспомнил? А вот Костя в своей радости сразу кинулся ко мне. Нет, так можно совсем рехнуться. И я решительно пошла через дорогу к магазину ковров. Заглянула туда. Выбор большой. А в моем детстве на ковры была запись... В нашей семье к этой теме относились иронически, а вот соседка Валя, помню, ездила «отмечаться» в очередь. Мама ее спрашивала: «Валюша, ну неужели тебе жизненно необходим ковер?» На что та отвечала: «А как же? У других небось есть, а я чем хуже?» Один ковер привлек мое внимание, китайский, шелковый, он очень подошел бы к моей гостиной, давно думала, что там надо постелить ковер... И стоит сравнительно недорого, может, купить? Но я же не хочу больше жить в Маасмехелене! Да ерунда все это, мимолетные страсти... Перевозбуждение примитивной личности, игра гормонов, не более того. Не стоит из-за этого ломать жизнь. Разве можно кидаться в омут с головой из-за совершенно незнакомого человека... Или даже двух? Костя ведь тоже, в сущности, незнакомый, хоть я и знаю его с первого класса. Вот куплю сейчас этот ковер и... И это будет мое решение задачки с двумя неизвестными. Дом, садик, коты, Тузик и Додик. Мой удел.

Но тут к магазину подкатил знакомый «лендровер». Костя выскочил из машины, но я бы его не узнала. На голове какая-то идиотская панамка, низко надвинутая на лоб, и темные очки вдобавок. Маскируется! Я вышла на улицу.

— Ну конечно, где искать бабу? В магазине! Привет!

— Привет!

— Садись, поедем!

— Куда?

— Тут рядом есть одно местечко, жрать хочу смертельно! И там тихо. Ты пиво пьешь?

— Могу иногда.

— Отлично! Времени очень мало, а там можно быстро перекусить. Официант знакомый!

Ресторанчик назывался «Пивнушка». И там в этот час никого не было. Мы сели за деревянный, без скатерти столик.

— Что будешь есть?

— Что-нибудь легкое.

— Глупости, Шадрина! Хочешь нюрнбергские колбаски? Очень вкусно с пивом.

— Давай! Только сними ради бога эту панамку, ты же сидишь спиной к залу, тебя никто не узнает!

Он засмеялся и снял панамку.

— И очки сними!

— Слушаюсь, моя госпожа!

— А теперь выкладывай, я же вижу, тебя распирает...

— Это правда, распирает! Шадрина, я сегодня получил такое предложение!

— В Голливуд, что ли?

— А ты откуда знаешь? — поразился он.

— Просто подумала, что другое могло бы тебя так воодушевить?!

— А почему столько иронии?

— Да бог с тобой, Костя! Я рада, если тебя это радует, но пока русские не делают погоды в Голливуде.

— А ты знаешь, кто меня пригласил? И на какую роль?

— Нет, откуда? Но, наверное, кто-то знаменитый...

Он назвал имя испанского режиссера, который сейчас гремел по всему миру.

— Его позвали в Голливуд, а он позвал меня, более того, поставил непременным условием мое участие в проекте... Роль фантастическая! И гонорар по нашим понятиям тоже фантастический...

— Словом, открываются фантастические перспективы? Я рада за тебя, правда, рада!

— Это благодаря тебе! Ты принесла удачу! Я когда увидел тебя, понял — сбудется!

— Ты тогда уже знал об этом проекте?

— Конечно, Фернандо давно со мной связался, но ему надо было убедить руководство студии, что оказалось нелегко. Шадрина, это такой шанс!

— Ну еще бы!

Вот и этот уже забыл обо мне, хоть и говорит со мною. Нет, Кукс, Мойша, Тузик и Додик!

— Шадрина, а ты будешь меня ждать?

— Ждать? Ты что, в ссылку собрался?

Он счастливо рассмеялся:

— Нет, но жизни ведь не будет никакой, подготовительный период, съемки... Ну, сама понимаешь! У меня же и тут есть дела, я не могу все бросить, придется летать через океан...

— И будет не до тебя, Шадрина! — закончила я его фразу.

— Глупости, мне всегда будет до тебя! Ты сможешь как-нибудь приехать ко мне в Голливуд, например...

— Там будет видно, Иванишин! А из театра тебя отпускают?

— Отпустят, куда денутся! Понимают, что все равно уеду!

— Бедная Надюшка!

— Какая Надюшка? — безмерно удивился он.

— Коваль!

— При чем здесь она?

— Ей будет тебя не хватать!

— А тебе будет меня не хватать?

— Не знаю пока, Иванишин. Я вообще-то умею забывать.

— Не смей, слышишь?

— Слышу! — улыбнулась я. Но я уже забыла...

Разгрузив продукты, Мура сказала:

— Динка, у меня к тебе разговор... Хочу сразу покончить с делами, а потом уж лирические темы и все такое...

— Мура, ты о чем? — недоуменно спросила я.

— Динка, я все понимаю, у тебя там дом и работа... Но ты ведь будешь теперь приезжать в Москву, так вот... Майкина квартира, она ведь и твоя тоже. Она мне, можно сказать, дуриком досталась... Что у меня было, комнатушка в коммуналке, а у мамы отдельная квартира была. Если б мы тогда не съехались, фиг бы я эту квартиру видела...

— Мура, перестань!

— Нет, не перестану, мне и Вася сказал — это нехорошо! Так вот, мы с Васей решили — купим тебе однокомнатную квартиру!

— Ерунда! Мне не нужна здесь квартира!

— Нужна, не нужна, кто знает. А так нечестно... Отобрать у тебя площадь... Конечно, купить что-то шикарное мы не сможем, но...

— Мура, отвяжись от меня, не нужны мне эти ваши контрибуции...

— Но я не люблю чувствовать себя в долгу... И мне стыдно перед Марфой...

— Брось, глупости все это...

— Динка, ну не упрямься! Приедет Вася, он все равно настоит!

— Хорошо, сделаем так — вы положите в банк ту сумму, которая вам по силам, на мое имя и, если я вздумаю купить квартиру в Москве, я возьму эти деньги, надо будет, добавлю. А вы живите, как жили. Такой вариант тебя устраивает?

— Да? — просияла Мура. — Это лучше всего! Если мы сразу большую сумму не потянем, будем туда добавлять.

— Делайте как вам удобно.

— Динка, ты такое же золото, как твоя мама покойная... Ну, на кладбище была?

— Да, спасибо, там все хорошо, я велела подновить надпись, парень обещал позвонить через три дня.

О встрече с Рыжим и с Костей я ничего говорить не стала. Я забыла.

Мы провозились до глубокой ночи с уборкой и готовкой. Ожидалось много гостей. На вопрос Муры о моих романах я ответила:

— Ерунда, перевозбуждение примитивной личности.

Она посмотрела на меня с сомнением, но ничего не сказала. Она чуткая, моя Мура.

Пожелав ей доброй ночи, я приняла душ и вышла в сад. Хорошо! Свежо, тихо, птицы поют, пахнет расцветающим жасмином... Мура хвасталась каким-то особенно ранним сортом. Я села на крылечке. Интересно, где Рыжий? Напился в зюзю? И вдруг мне стало страшно. А что если он пьяный сядет за руль? Разобьется? Или собьет человека и сядет в тюрьму? А как же тогда я? А что я? Я, кажется, не смогу без него... Но я же забыла? Ничего я не забыла... Особенно остро вспомнились его поцелуи... Я хочу еще... Рыжий, где ты? Я понимаю, тебе сейчас плохо, но ты же не врал, что любишь меня, а? Я, кажется, тоже тебя люблю, Рыжий! А вдруг он уже тут, дома, за оградой? Недолго думая, я пошла вдоль стены. А вот и стремянка. Она так и стоит в том месте, где я ее оставила. Взобралась наверх и заглянула в чужой сад. В доме было темно, и вдруг я услышала какой-то звук, похожий на стон. Пригляделась. Внизу, под самой оградой, кто-то лежал. И это явно был мужчина, крупный, высокий... Рыжий?

— Эй, Рыжий, это ты? — позвала я тихонько.

Человек не шевелился. Господи, что с ним такое? Спрыгнуть вниз я боялась. Высоко. Можно и шею сломать. Сломать! Это слово подсказало мне, что надо делать. Я сломала длинную ветку и попыталась ею дотянуться до лежащего человека. Но не дотянулась. Может, позвать Муру? А вдруг ему нужна помощь? Я опять прислушалась и поняла: человек внизу просто спит. Пока я маялась на стремянке, начало светать. Да, это, несомненно, Рыжий. Что ж он спит на сырой земле? Он же простудится! Я села на ограду и попыталась перетащить стремянку, но не хватило сил, к тому же сидеть на ограде было неудобно до ужаса. Тогда я быстренько спустилась, взяла стоявшую неподалеку лейку и стала лить воду на спящего. Это возымело свое действие.

— Что за черт, дождь, мать его так... — раздалось снизу.

Я перестала лить. Он свернулся клубочком. Пришлось повторить маневр. Но лейка вырвалась у меня из рук и упала прямо на него. Тут уж он вскочил и крепко выругался.

— Рыжий, при дамах! — сказала я со смехом.

Он поднял глаза и застыл.

— Динь-Динь, ты что там делаешь? — спросил он и протер глаза.

— Ты напился в зюзю?

— Да!

— А под забором почему валяешься?

— Не помню... А, я, кажется, хотел взять его штурмом...

— Забор?

— Ну да! Хотел к тебе!

— Сними меня, а то я сейчас свалюсь! Ну, пожалуйста!

— Насовсем снять?

— Насовсем, Рыжий!

**Оглавление**

*Литературно-художественное издание*

**Екатерина Николаевна Вильмонт**

Перевозбуждение
примитивной личности

Редактор *Ю. А. Усольцева*
Компьютерная верстка *М. С. Ананко*
Корректор *Р. В. Бардина*

ООО «Агентство «КРПА Олимп»
121151, Москва, а/я 92
www.rus-olimp.ru
E-mail: olimpus@dol.ru

ООО «Издательство Астрель»
143900, Московская обл., г. Балашиха,
пр-т Ленина, 81

ООО «Издательство АСТ»
667000, Республика Тыва,
г. Кызыл, ул. Кочетова, д. 28
www.ast.ru
E-mail: astpub@aha.ru

Отпечатано с готовых диапозитивов в типографии
ФГУП «Издательство «Самарский Дом печати».
443080, г. Самара, пр. К. Маркса, 201.
Качество печати соответствует качеству предоставленных диапозитивов.

**Издательская группа АСТ**

129085, Москва, Звездный бульвар, д. 21, 7-й этаж
Справки по телефону:
(095) 215-01-01, факс 215-51-10

**E-mail: astpub@aha.ru http://www.ast.ru**